Les Roquevillard

✳

Par Henry Bordeaux

Auteur de "Les Yeux qui s'ouvrent,"
"La Croisée des Chemins,"
"L'Écran brisé"

Introduction par Firmin Roz

Paris
Nelson, Éditeurs
189, rue Saint-Jacques
Londres, Édimbourg, et New-York

INTRODUCTION

PAR FIRMIN ROZ

LES étrangers, qui, après nous avoir jugés sur nos romans, viennent un jour nous voir chez nous, ne cachent point leur surprise. Familiarisés avec des portraits répandus à profusion de par le monde, ils avouent le plus souvent ne pas reconnaître le modèle. Un Anglais comme Mr. Harrison Barker (*France of the French*), un Americain comme Mr. le Professeur Barrett Wendell, de Harvard (*France of To-day*), nous réhabilitent auprès de leurs compatriotes et prennent notre parti contre nous-mêmes, c'est à dire, en l'espèce, contre ceux de nos romanciers dont les peintures ont donné de notre vie, de notre caractère et de nos mœurs une si pauvre idée et une si peu flatteuse image. Si ces romanciers sont peut-être les plus lus, hors de France comme en France même, ce succès atteste leur agrément et leur valeur littéraire; mais il faut bien reconnaître que dans son ensemble le roman français ne représente pas la vie française.

Une des raisons, sans doute, qui expliquent ce fait assez déconcertant, c'est que, en se détournant de la famille avec dédain parce qu'elle n'est pas "romanesque," au sens où l'on prend d'ordinaire le mot, les romanciers se sont détournés de la réalité. Ils ont négligé, pour chercher ailleurs une "matière d'art," la plus digne de l'artiste et la plus propre à manifester l'intensité, la beauté de la vie. Heureux ou malheureux, tous les peuples ont une histoire. Toutes les familles ont un roman, ne serait-ce que celui des efforts et des rêves, des succès et des revers, des séparations, de la douleur et de la mort.

M. Henry Bordeaux est un des trop rares romanciers français qui se soient attachés à l'écrire et qui nous en aient donné de significatifs autant qu'émouvants chapitres.

Né en Savoie, petit-fils de magistrats savoisiens, fils d'un avocat au barreau de Chambéry, il a vérifié sur lui-même, selon sa propre expression, " l'aptitude des lieux a former les âmes." A dix-sept ans il vint étudier le droit à Paris où il passa trois années, puis revint au pays natal, exerça lui-même la profession d'avocat, tout en s'adonnant aux travaux littéraires, et, après la publication de son premier livre (1894), revint à Paris. Dès la fin de 1896 il était rappelé en Savoie par la mort de son père dont il prenait la place au foyer et au Palais. Un nouveau séjour de quatre années lui fit prendre plus étroitement contact avec la vie et avec les hommes. Il pratiquait le conseil que lui avait donné Alphonse Daudet : " On apprend à lire avec des images et l'on n'apprend la vie qu'avec des faits. Tâchez de voir, d'observer. Etudiez l'importance des intérêts dans la vie humaine. La science de l'humanité, c'est la vraie science." *

En même temps que le jeune critique exerçait son esprit à travers ses lectures, le jeune romancier préparait son talent à travers ses observations. Paris

---

* *Les Ecrivains et les Mœurs*, 1897-1900, pp. 70, 71.

lui a montré certains dangers et la province certains remèdes. Il a vu se faire et se défaire la solidité normale des foyers ; il a analysé les causes de la désorganisation et perçu à l'œuvre les forces organisatrices et constructives. Il est remonté à l'origine du mal, qui est ici dans les mœurs et là dans les lois. Il a vu la contradiction entre l'individualisme égalitaire de la Révolution et la nature des choses qui implique partout inégalité, organisation, hiérarchie ; il a reconnu dans la famille l'organe même de la tradition ; et seule la tradition soutient l'individu, lui permet de donner toute sa mesure, d'accomplir toute sa tâche. " Relié par la race au passé et à l'avenir, il a le temps pour allié. Alors il entreprend, et, même au soir de sa vie, prépare les ombrages destinés à ses arrière-neveux. Il sait qu'il ne mourra pas tout entier, et que le souvenir de ses actes demeurera dans sa maison, comme les traits de son visage réapparaîtront sur de jeunes figures." * Au centre du groupe d'œuvres qu'il a consacrées aux bienfaisantes réalités et aux exigences vitales de la tradition et du foyer, entre *Le Pays natal* et *La Peur de vivre*, qui précédèrent, *Les Yeux qui s'ouvrent* et *La Croisée des Chemins*, qui ont suivi, il faut placer l'œuvre que nous présentons ici aux lecteurs : *Les Roquevillard*.

Le héros véritable du roman des *Roquevillard*, en effet, c'est la famille. La famille est très forte en France, et sa cohésion joue un rôle d'autant plus actif dans la vie nationale que tous les autres principes d'ordre et de discipline y sont eux-mêmes plus affaiblis. L'esprit public n'a pas chez nous la vigueur ni la décision qu'on lui voit en Angleterre ou en Amérique ; l'esprit de corps a perdu tout ce qu'a

---

* *Le Pays natal*, Préface.

gagné l'individualisme anarchique issu des principes de 89 ; la religion elle-même, dédaignée, combattue et repoussée par l'Etat " laïque," ne peut plus exercer d'influence sociale que dans l'ordre des vertus privées. La famille se tient, organe essentiel et presque unique de continuité, de durée. C'est pourquoi, peut-être, l'individu s'y sent lié plus qu'ailleurs par toutes ses fibres. Le père travaille pour ses enfants avec une ténacité, un courage, un dévouement que rien n'arrête. Les enfants restent attachés au foyer par un lien que ni l'éducation domestique, ni les mœurs, ni les usages ne les prédisposent à rompre. L'esprit de famille, ainsi fortifié et exalté, devient le soutien de la vie privée et de la vie publique, le grand éducateur des énergies viriles, la tradition vivante et efficace. C'est sous cet aspect et dans cette fonction que M. Henry Bordeaux s'est appliqué à nous le représenter. Il nous le montre comme un principe de force, non de faiblesse, qui, loin de rétrécir et de réduire l'activité, l'élargit au contraire, lui donne, avec plus d'ampleur, plus de portée. Non seulement le sens de la famille, tel que l'entend l'auteur de *La Peur de vivre* et des *Roquevillard*, ne fait pas peser sur les enfants l'ombrageuse tyrannie des parents, mais les uns et les autres, au contraire, trouvent dans la profondeur même de leur union le courage des séparations qui ne peuvent plus y porter atteinte. Hubert Roquevillard, officier d'infanterie de marine, va guerroyer aux colonies ; Félicie Roquevillard, comme petite Sœur des pauvres, a traversé les mers pour s'en aller à l'hôpital d'Hanoi. M. Roquevillard enfin, le père, le chef, acceptera la ruine s'il le faut, sacrifiera le domaine patrimonial pour sauver l'honneur et léguer intactes à l'avenir les forces morales du passé. "Les traditions ne se gardent pas dans une armoire . . . Elles ne se gardent même pas dans une vieille maison ou un vieux domaine, bien que la conservation des patrimoines ait son importance. Elles se mêlent à notre vie, à nos sentiments, pour leur donner un appui, une valeur féconde, une durée." *

Chez des êtres grandis par le sentiment de leur dépendance à l'égard du passé et de leur responsabilité à l'égard de l'avenir, tous les autres sentiments sont transfigurés. L'amour devient plus pur et plus grave, parce qu'il apparaît dans sa vérité, dans sa noblesse, comme l'indissoluble union des cœurs et des volontés pour l'œuvre sacrée du foyer. Nous comprenons pourquoi il ne peut pas s'isoler, se détacher du reste de la vie, pourquoi, livré un instant à lui-même chez le jeune Maurice Roquevillard, il devient aussitôt une force désordonnée et destructive. Nous voyons en même temps l'instinct de conservation, dès qu'il n'est plus perverti par l'égoïsme, s'identifier avec le sens du bien public et des intérêts communs.

Que pèse alors la raison, l'infaillible raison—c'est à dire, en fin de compte, la faculté de généraliser une expérience souvent mal digérée et toujours effroyablement incomplète,—auprès de ces réalités concrètes où plonge notre vie : la famille, la patrie, la société ? Et de quel droit ferions-nous de nos idées la mesure des choses, quand les choses débordent de toutes parts nos idées et nous imposent le sentiment de notre petitesse, de notre dépendance ? C'est à sa raison—" une raison de vingt-quatre ans " —que Maurice Roquevillard doit la belle découverte du droit de chacun au bonheur ; et c'est cette superbe raison qui lui représente aussi " la beauté de vivre librement pour son propre compte au lieu de prendre rang, comme le dernier de la classe, dans la chaîne ininterrompue des Roquevillard." Le roman nous fait voir les conséquences de pareils principes.

Pas plus que contre la vie l'orgueilleuse raison n'est fondée à se dresser contre la foi. Le sentiment religieux retrouve dans le roman de M. Henry Bordeaux la place qui lui revient dans des destinées vraiment humaines, qui ont conscience de ne point se suffire à elles-mêmes et, respectueuses du passé d'où elles sortent, de l'avenir qu'elles préparent, ennoblissent leurs efforts par leurs aspirations et s'en remettent, pour l'issue finale, au Maître du temps et de l'univers.

Les Roquevillard, comme d'ailleurs les autres œuvres principales du même auteur, le classent parmi ceux qui, acceptant la vie telle qu'elle est, la regardent avec des yeux assez clairvoyants pour découvrir ses grandes lois et en tirer les lois de l'action. Il sait d'où viennent nos faiblesses et comment nous pouvons être meilleurs. Il nous le montre par la destinée de ses héros, leurs souffrances et leurs joies, leurs défaites et leurs victoires. Il cherche à nous découvrir ce qui fait la grandeur et la force de l'individu, ce qui assure la santé, la durée du corps social. Assez d'autres décrivent complaisamment les maladies et les tares. Nous feront-ils croire qu'elles sont l'état normal de l'homme et qu'il est réduit a choisir entre la honte d'en faire étalage ou la misère de s'y résigner ? Emerson a écrit : " Le monde ne subsiste que par l'excellent." Au lieu de les traiter dédaigneusement d'idéalistes, écoutons plutôt ceux qui cherchent en quoi consiste cette excellence et nous font voir en elle la condition même de la vie, du progrès, c'est-à-dire tout ce qu'il y a de plus réel, le cœur même de la réalité.

FIRMIN ROZ.

LES ROQUEVILLARD

PREMIÈRE PARTIE

I

LES VENDANGES

DU sommet du coteau, la voix de M. François Roquevillard descendit vers les vendangeuses qui, le long des vignes en pente, allégeaient les ceps de leurs grappes noires.

— Le soir tombe. Allons ! un dernier coup de collier.

C'était une voix bienveillante, mais de commandement. Elle communiqua de l'agilité à tous les doigts, et courba les épaules des ouvrières qui flânaient. Avec bonne humeur, le maître ajouta :

— Le matin, elles sont plus légères que des alouettes, et l'après-midi, elles bavardent comme des pies.

Cette réflexion provoqua des rires unanimes :

— Oui, monsieur l'avocat.

On n'appelait jamais autrement le maître de la Vigie. La Vigie est un beau domaine, bois, champs

et vignes, d'un seul tenant, situé à l'extrémité de
la commune de Cognin, à trois ou quatre kilomètres
de Chambéry. On y accède en suivant un chemin
rural et en traversant un vieux pont jeté sur l'Hyère
aux eaux basses. Il domine la route de Lyon qui,
jadis, reliait la Savoie à la France à travers les
roches taillées des Echelles. Son nom lui vient
d'une tour qui couronnait le mamelon et dont il
ne reste plus aucun vestige. Il appartient depuis
plusieurs siècles à la famille Roquevillard qui l'a
agrandi peu à peu, ainsi qu'en témoignent la maison de campagne et les communs bâtis de pièces et
de morceaux, ensemble d'une harmonie contes-
table, mais expressif comme un visage de vieillard
où toute une vie se résume. Ici, c'est le passé d'une
forte race fidèle à la terre natale. Les Roquevillard sont, de père en fils, gens de loi. Ils ont donné
des bâtonniers au barreau, des juges, des prési-
dents à l'ancien Sénat provincial, et à la nouvelle
Cour d'appel un conseiller qui, pour mourir chez
lui, refusa tout avancement. Néanmoins, le pays
persiste à les traiter indifféremment d'avocats, et
sans doute il donne à ce titre un sens de protection. Près de quarante ans d'exercice, une connaissance précise du droit, une parole ardente et vigou-
reuse méritaient plus spécialement cette popularité
au propriétaire actuel.

Les alignements réguliers du vignoble permettaient de surveiller aisément la récolte. Déjà les
teintes des feuilles accusaient octobre, et sur les
coteaux, la terre plus lumineuse s'opposait au ciel
plus pâle. Les divers plans se distinguaient mieux
aux colorations : la Mondeuse vert et or, le Grand

Noir et la Douce Noire vert et pourpre. Entre les branches claires, les taches sombres des raisins sollicitaient le regard. Le couteau ouvert et la main sanglante, pareilles à de prompts sacrificateurs, les vendangeuses, se hâtant, poursuivaient les grappes comme des victimes offertes, les tranchaient d'un coup net et les jetaient au panier. Elles relevaient uniformément leur jupe en l'attachant en arrière afin d'être plus libres de leurs mouvements sur le sol gras, et portaient un mouchoir ou un fichu bariolé noué autour de la tête pour se garantir des rayons du jour. De temps en temps, l'une d'elles, redressée, émergeait de la mer des ceps, comme un lavaret qui vient respirer à la surface, puis replongeait aussitôt. Il y en avait de vieilles, noueuses et ridées, lentes et le corps rétif, mais capables d'endurance et l'œil aux aguets, car, n'étant plus guère employées, elles luttaient pour conserver leurs derniers clients. Des jeunes filles de vingt ans, plus adroites et lestes, exposaient sans crainte leur visage et leurs avant-bras découverts à l'action du hâle qui garde à la chair les caresses du soleil, et des fillettes inachevées encore, moins résistantes, changeaient de place, troublaient l'ordre ou s'asseyaient tout bonnement avec une gaieté de pensionnaires en vacances et la flexible souplesse des sarments que leurs mains ployaient. Enfin de petits enfants, confiés par leurs mères qui en débarrassaient le logis, vendangeaient pour leur compte en se bousculant et se barbouillant lèvres et joues à la façon de précoces bacchantes.

Sur le chemin à mi-côte qui partage le domaine

et en assure l'exploitation, le chariot, attelé de deux bœufs roux aux cornes redressées en forme de lyre, attendait patiemment l'heure de gagner le pressoir. Les vignerons le chargeaient avec gravité. On ne les entendait pas rire comme les filles, mais seulement échanger de brèves indications. Les moins âgés portaient des bérets blancs et des bandes molletières, ce qui leur dégageait la tournure, à la mode des chasseurs alpins qui, par esprit d'imitation, se répand chez les jeunes gens de la campagne savoisienne. Ils passaient un bâton de bois dur dans les anses de la *gerle* remplie jusqu'aux bords, la soulevaient sur l'épaule et, imprimant à leur fardeau un léger mouvement de bascule, ils le déposaient sur le train du char. Un vieux à la barbe grise qui, debout sur le véhicule, les dirigeait, achevait d'écraser le raisin dans les gerles déjà chargées. Parfois, il se redressait de toute sa taille, les mains rougies et dégouttantes du sang des vignes.

En face de la Vigie, l'ombre du soir envahissait les coteaux de Vimines et de Saint-Sulpice, rapprochés de la chaîne de Lépine qui reçoit les soleils couchants, et, plus bas, le val sinueux de Saint-Thibaud-de-Coux et des Echelles. Mais la lumière inondait le vignoble de pourpre et d'or. Elle découvrait les vendangeuses dans leurs lignes, les nimbait malgré leurs foulards, se jouait sur les cornes des bœufs, embrasait la barbe grise et la face rouge du chef de culture sur le chariot, éclairait, sous les rebords du chapeau, le visage énergique de M. Roquevillard, et, plus haut encore, miroitait sur le clocher arrogant de Montagnole, pour se poser enfin audacieusement, comme une couronne, sur le rocher légendaire du mont.Granier.

Se groupant autour de quelques ceps épargnés, les ouvrières cueillaient les derniers raisins. Une gerle encore fut hissée et du haut du char le vieux Jérémie lança triomphalement :

— Ça y est, monsieur l'avocat.

— Combien de chariots ? interrogea le maître.

— Douze.

— C'est une belle année.

Il ajouta, comme les bœufs se mettaient en marche, suivis de toute la bande des vignerons :

— Maintenant, à mon tour. Par ici le rassemblement.

Panier au bras, couteau ou serpe en main, les ouvrières gagnèrent le sommet du coteau et entourèrent M. Roquevillard. Il planta sa canne ferrée en terre, et sortit de sa poche un petit sac d'où il tira de la monnaie de cuivre et des pièces d'argent. Aussitôt, les plus bavardes se turent. Ce fut un instant solennel, celui de la paye. Derrière l'assemblée, des vitres ou des toits d'ardoise renvoyaient comme des miroirs l'éclat du soleil.

Avec une amicale familiarité, il appelait chacune par son nom, et même il les tutoyait, car, les plus âgées, il les avait toujours vues, et les autres, il les avait connues petites. Elles touchaient le prix de leur journée avec un mot aimable en supplément, et répondaient à tour de rôle :

— Merci, monsieur l'avocat.

L'une ou l'autre, qui s'était montrée paresseuse, recevait un blâme qui, prononcé d'un ton plai-

sant, l'atteignait néanmoins, car le maître avait
l'œil ouvert. Les enfants qui s'étaient payés en
nature obtenaient de lui quelques sous, car il les
aimait.

— Que celles qui ont leur compte passent à
gauche, dit-il au milieu de son opération, afin que
je ne recommence pas indéfiniment.

— Cela ne ferait pas de mal, répliqua une belle
fille de dix-huit ou vingt ans.

Celle-ci ne portait pas de fichu sur la tête,
comme pour mieux braver le jour avec sa jeunesse. Les cheveux un peu défaits lui tombaient
sur le front. Elle avait la bouche très grande et
une expression commune, mais un air de santé,
des yeux vifs et surtout un teint doré comme ces
graines gonflées de raisin blanc que la chaleur a
roussies et qui semblent contenir de l'élixir de soleil.
M. Roquevillard la dévisagea :

— Comme tu as vite poussé, Catherine ! Quand
te marie-t-on ?

Prise publiquement au sérieux, elle rougit de
plaisir :

— Faudra voir.

— Eh ! eh ! tu n'es pas désagréable à regarder,
Catherine.

Et à la pièce qu'il lui donnait, il joignit ce conseil qu'il formula gravement :

— Sois bien sage, petite : vertu passe beauté.
Elle le promit sans retard.

— Oui, monsieur l'avocat.

A la fin du défilé, le maître inspecta sa troupe
et demanda :

— Tout le monde est content ?

Vingt voix joyeuses répondirent en remerciant.

Mais un enfant désigna du doigt une vieille femme qui se tenait à l'écart, honteuse et la mine déconfite :

— La Fauchois.

Son mot se perdit et personne n'intervint, comme si elle ne méritait aucun salaire.

— Alors, bonsoir, reprit la voix bien timbrée de M. Roquevillard. Vous arriverez de jour à Saint-Cassin et à Vimines.

— Bonsoir, monsieur l'avocat.

Immobile à son poste d'observation, il vit les silhouettes des vendangeuses se découper en noir sur le couchant, décroître et disparaître. D'en bas, leurs voix montaient. Elles s'étaient séparées en deux groupes, celles de Vimines et celles de Saint-Cassin. Ces dernières, qui avaient pris à gauche, se mirent à chanter : un chœur rustique au finale traînant. Déjà le soleil effleurait la montagne.

A côté du maître, la Fauchois ne bougeait pas, ne réclamait rien.

— Pierrette, dit brusquement M. Roquevillard.

Elle tendit en avant sa figure qui était moins vieillie que douloureuse et crevassée.

— Monsieur François, murmura-t-elle.

— Voilà cent sous. Va manger la soupe à la maison.

— C'est trois journées, dit la pauvresse qui regardait l'écu tout blanc dans sa main racornie, je n'ai droit qu'à une.

— Prends toujours. Et ta fille ?

— Elle est partie pour Lyon.

— Travaille-t-elle ?

La vieille femme laissa tomber ses deux bras le long du corps, et ne répondit pas.

— Il faut qu'elle travaille.

— Depuis la condamnation, elle ne trouve plus à se placer. Une voleuse !

L'avocat plaida les circonstances atténuantes :

— Elle a volé par étourderie, par coquetterie, par vanité. Elle n'est pas mauvaise. A son âge, on se corrige. De quoi vit-elle ?

— Et de quoi voulez-vous qu'elle vive ? Des hommes, pardi.

— Comment le sais-tu ?

— Les premiers temps, j'avais envoyé un mandat, un petit, pour l'aider. Elle me l'a renvoyé avec un autre, un gros, que j'ai brûlé.

— Que tu as brûlé ?

— Oui, monsieur François, l'argent de la honte.

Et la colère redressa brusquement la paysanne qui apparut en pleine lumière, menaçante et la main tendue, comme pour accuser le destin :

— Je ne sais pas comment je l'ai faite. Dans notre famille, il n'y avait que des braves gens. Maintenant j'ai vergogne.

— Ce n'est pas ta faute, Pierrette.

Elle secoua la tête avec certitude :

— C'est toujours la faute de la famille, vous le savez bien. C'est vous qui l'avez dit.

— Moi ?

— Oui, devant moi, à Julienne, avant la condamnation. Elle m'inquiétait déjà. Alors, je vous l'avais amenée un jour.

— Je me souviens. Et que lui ai-je dit ?

— Que lorsqu'on avait la chance d'appartenir à une famille honnête, il fallait se respecter davantage. Parce que dans les familles, on met tout en commun, la terre et les dettes, la bonne conduite et la mauvaise.

— Personne ne peut te jeter la pierre.

— On me la jette quand même. On a raison. Par bonheur, j'ai perdu mon homme avant.

— Il t'aurait défendue.

— Il l'aurait tuée.

— Et toi, tu l'aimes toujours ?

— C'est mon enfant.

— Allons, Pierrette, ne te décourage pas. Tant qu'on n'est pas mort, il n'y a rien de perdu. Rentre à la maison ; moi, je vais au pressoir vérifier les cuves.

— Merci, monsieur François.

De tout temps, elle avait, à la Vigie, collaboré aux lessives, aux vendanges et même par intérim à la cuisine : de là son usage des prénoms.

M. Roquevillard, quand elle fut partie, ne se pressa pas de la suivre. D'un coup d'œil amoureux il embrassa tout le domaine qui s'étendait à ses pieds : les vignes dépouillées dont il retrouverait au vin joyeux les tons de pourpre ou d'or, les prés deux fois dévêtus, les vergers, et, par delà le petit ruisseau anonyme qui sépare les communes de Cognin et de Saint-Cassin, le bois de chênes, de hêtres et de fayards nuancé par l'automne comme un bouquet pâle. Sur cette terre aux cultures diverses, il ne lisait pas à cette heure l'histoire des saisons, mais celle de sa famille. Tel aïeul avait acheté ce champ, tel autre planté ce vignoble, et lui-même

n'avait-il pas franchi la frontière de la commune
pour acquérir ces arbres trop serrés qui réclamaient une coupe ? Se retournant vers les bâtiments de ferme, il reconnut la baraque primitive,
changée en remise, que les premiers Roquevillard,
des paysans, avaient construite, et il la compara à
sa maison d'habitation solide et vaste que décorait
une éclatante vigne vierge. C'était, sur les mêmes
lieux, la même race, mais fortifiée matériellement
et moralement par un passé d'honneur, de travail
et d'économie. Il lui fit hommage de son mérite en
répétant la parole de la Fauchois :

— C'est toujours la faute de la famille.

La sienne avait, en outre, fourni au pays des
hommes capables de servir utilement la chose
publique, comme ils avaient administré leurs
propres biens. Ainsi les générations se soutenaient
les unes les autres pour la prospérité commune.
Les plus lointains aïeux n'avaient-ils pas préparé
son œuvre ? Cette terre qu'il foulait, ils l'avaient
convoitée avant lui. Cet horizon les avait, avant
lui, captivés et exaltés. Et, non sans peine, il détacha
les yeux de son domaine pour revoir ce qu'ils
avaient vu, l'ensemble de lignes et de teintes que
lui offrait le paysage, et dont leur sensibilité,
comme la sienne, dépendait. Car les cultures
peuvent modifier la forme immédiate du sol,
l'homme ne change rien à la lumière ni à l'étendue :
il y ajoute seulement quelques points de repère
émouvants, un toit qui fume et évoque la douceur
du foyer, un chemin, une haie qui font souvenir de
la vie sociale, un clocher qui symbolise la prière.

Seul sur la colline, il ajouta à la beauté du soir

la satisfaction de communier avec sa race. Il sentit
jusque dans un passé obscur l'importance de ce
coin de terre. En face de lui, la chaîne de Lépine,
rompue dans sa monotonie par la cime du Signal,
se bordait de rouge. Son regard descendit dans la
plaine, suivit un instant la fuite gracieuse de la
route des Echelles, à qui les derniers contreforts
des montagnes semblent composer de chaque côté
une escorte, puis remonta aux dentelures du Corbelet, de Joigny et du Granier, pour revenir aux
coteaux plus proches, aux vallonnements étagés
dont les courbes sont plus harmonieuses. Dans cette
nature heurtée, tour à tour image de hardiesse et
de mollesse, il retrouvait des caractères de parenté :
l'audace de son grand-père qui, sous la Révolution, fut aux armées, la nonchalance de son père
qui, se laissant glisser dans la contemplation, com-
promit, sans y prendre garde, le patrimoine sacré.

« Personne, songeait-il, ne peut de cette place
envisager de la sorte le spectacle du couchant. Un
jour, quand je ne serai plus, l'un de mes enfants
reprendra ces comparaisons. Mes enfants, qui con-
tinueront notre œuvre, et seront gens de bien. »

Du passé qui aboutissait à lui-même, il envisageait l'avenir avec sécurité. Absorbé dans ses
réflexions, il ne vit pas venir à lui une femme qui
sortait de la maison. C'était une femme déjà âgée,
qui portait sur les épaules un châle sombre et s'appuyait sur une canne avec un grand air de lassitude, d'épuisement. Son visage, qui recevait le
reflet du soir, avait dû être beau. Les années
l'avaient flétri sans lui ôter une expression de pureté qui surprenait tout d'abord, puis attirait. C'était

l'empreinte visible d'une âme droite, exempte de tout mal et même un peu mystique.

— *Ils* ne viennent pas encore ? demanda Mme Roquevillard à son mari.

— Si, Valentine, les voilà.

Tous deux s'entendaient pour parler de leurs enfants. Il lui montra au bas de la rampe, sur le chemin montant, un groupe nombreux. En tête marchaient deux bébés que leur grand'mère reconnut :

— Pierre et Adrienne. Ils prennent le raccourci. Je ne vois pas le petit Julien.

— Il doit tenir la main de sa tante Marguerite. Il ne la quitte pas.

— En effet. Je l'aperçois entre Marguerite et son fiancé. Il les sépare, le méchant garçon. Et sa mère, où est-elle ?

— Elle vient derrière eux, tranquillement selon son habitude, avec son frère Hubert.

— Notre fils aîné. Distingues-tu sa décoration ?

M. Roquevillard sourit en regardant sa compagne.

— Comment veux-tu, à cette distance ?

Elle prit le parti de rire à son tour, gracieusement.

— Il y a un grand ruban rouge sur la montagne.

— Et tu lis dans le ciel : Hubert Roquevillard, vingt-huit ans, lieutenant d'infanterie de marine, décoré pour faits de guerre, proposé pour le grade supérieur, campagne de Chine, défense du Peïtang.

— Mais oui, approuva-t-elle, je le lis très distinctement.

Elle interrogea de nouveau le chemin :

— Et Maurice ? je ne vois pas Maurice.

— Il est en arrière, je crois, avec une autre personne.

Mme Roquevillard, satisfaite, posa une main sur l'épaule de son mari.

— Ce sera notre gendre, Charles Marcellaz. Notre compte y est. Je les compte toujours, comme lorsqu'ils étaient petits : Germaine, Hubert, Maurice, Marguerite.

— Et Félicie manque toujours à l'appel, répondit-il.

Une ombre obscurcit ses traits : il ne s'accoutumait point à l'absence de sa seconde fille, qui, petite Sœur des pauvres, avait traversé les mers pour s'en aller à l'hôpital d'Hanoï.

Elle s'appuya plus fort sur lui :

— Mais non, François, elle n'est pas loin de nous. Sa pensée est avec nous : je le sais, je le sens. Hubert, qui l'a vue à son retour de Chine, l'a trouvée heureuse. Et puis, un jour nous serons tous réunis.

Il ne voulut pas s'attendrir et reprit son dénombrement :

— Ce n'est pas Charles qui vient avec Maurice. C'est une femme. Ils ont laissé le raccourci, ils allongent.

— C'est peut-être Mme Frasne. Vois-tu son mari ?

— Oui, c'est elle. Mais je n'aperçois pas le notaire.

— Il montera plus tard avec Charles. Leurs études les retiennent jusqu'à six heures.

— Les Frasne dînent ici ce soir, n'est-ce pas ?

Elle parut s'en excuser comme d'une faute.

— Oui, Maurice, qui est souvent prié chez eux, m'a demandé de les inviter.

Ils gardèrent un instant le silence, ayant le même souci.

— Je n'aime pas cette femme, finit-elle par dire.

Surpris, non pas de la réflexion, mais de l'entendre formuler par sa compagne qui était d'habitude l'indulgence même, il l'interrogea au lieu de l'approuver :

— Et pourquoi ?

Mme Roquevillard fixa ses yeux limpides sur le ciel couchant :

— Je ne sais pas. On ignore d'où elle vient, on tremble de connaître jusqu'où elle irait. Elle n'est pas belle, et rien qu'en la voyant les mères s'inquiètent de leurs fils et les femmes de leurs maris.

— Quelle pitié ! dit-il. Qui t'en a parlé ?

— Personne. Ce que je sais, je le devine. Ceux qui prient beaucoup ne sont pas les plus mal renseignés. Elle a des yeux étranges, sombres avec un grand feu. Elle me fait peur.

— Ah !... Eh bien ! on parle en ville d'elle et de notre fils.

— Il faut avertir Maurice. Il faut l'avertir sans retard.

— Mais, chère amie, comment s'y prendre ? Nous ne sommes pas fixés. La rumeur publique, que signifie-t-elle ?

— Ce n'est pas la rumeur publique. Je le pressens, j'en suis sûre. Il est en danger.

M. Roquevillard reprit :

— Quelquefois c'est décider une passion que la combattre. Tu l'as bien compris : tu as consenti à inviter les Frasne. Puis, les jeunes gens supportent mal cette ingérence dans leur vie. Maurice, surtout, qui est très fier. Il n'a pas encore vingt-quatre ans, il est docteur en droit, il n'a confiance qu'en lui-même. Il soutient d'absurdes théories sur le droit au bonheur, sur la nécessité du développement personnel. Paris nous les rend affinés, mais révoltés. Il faut l'expérience pour les assagir.

— Tu t'en préoccupais donc ? Et tu ne m'en avais rien dit.

— A quoi bon t'attrister ? Tu es déjà si lasse.

— Oui, je devrais être forte. Une mère doit être forte. Mais tu l'es pour nous deux.

Il continua :

— Nous avons eu tort de le placer dans l'étude de maître Frasne. Je le voulais mettre au courant de la pratique des affaires, spécialement des successions et des liquidations, avant qu'il ne débutât au barreau. Maître Frasne est le successeur de maître Clairval qui était mon ami et notre notaire. J'ai respecté une tradition. Là, je me suis trompé. Enfin, tout sera changé bientôt.

— Bientôt ?

— Oui. Je reprendrai Maurice dans mon cabinet ; il y terminera son stage. Ou bien il apprendra la procédure chez Marcellaz. Dès notre réinstallation à la ville, je l'en informerai.

— Bien, dit-elle en lui serrant la main. Il aura moins souvent l'occasion de la rencontrer. Mais ce n'est pas suffisant. Tu le trouves raisonneur ; moi, je le crois surtout un peu romanesque. Je voudrais occuper son imagination.

— Et comment ?

— Le fiancer de bonne heure, par exemple. Les longues fiançailles occupent et fortifient les jeunes gens. En France, on bâcle trop vite les mariages, quand un mariage dispose d'une vie, d'une famille, d'un avenir.

— C'est vrai.

— Marguerite avait pensé à la petite Jeanne Sassenay.

— Une enfant.

— Une enfant jolie, élevée par une sainte mère.

Ces dernières paroles furent coupées par de petites voix perçantes qui piaillaient :

— Bonsoir, grand'mère. Bonsoir, grand-père.

C'était l'avant-garde, Pierre et Adrienne, essoufflés à la course, qui, après le tournant, débouchaient sur le plateau. Ils luttèrent de vitesse malgré les : « Pas si vite ! Pas si vite ! » de Mme Roquevillard, et leur grand-père les reçut à la volée.

— Tu sais, fit Adrienne qui avait la parole facile et tutoyait tout le monde sans respect, Julien est resté avec tante Marguerite, et maman lui avait recommandé de venir avec nous.

A mi-côte, le groupe des jeunes gens qui montaient cria à son tour :

— Bonsoir.

Seuls, Maurice et Mme Frasne se trouvaient trop éloignés pour prendre part à ces épanchements de famille. De connivence, ils ralentissaient le pas à mesure qu'ils approchaient du sommet, et d'ailleurs, en suivant le lacet du chemin, ils s'étaient ménagé un écart assez considérable, bien que Marguerite se fût retournée plusieurs fois pour les appeler. La proximité de la pente supprimant en face d'eux la montagne, ils apercevaient les silhouettes de M. et Mme Roquevillard profilées sur le fond du ciel. Elle jeta sur son compagnon, que leur tête-à-tête alanguissait, un regard énigmatique.

— Votre père, dit-elle, a dû être plus beau que vous.

Et tout bas, comme pour elle-même, elle ajouta :

— Il sait ce qu'il veut, lui.

Contrarié, le jeune homme garda le silence. Elle sourit de l'avoir fâché et demanda :

— Quel âge a-t-il, votre père ?

— Soixante ans, je crois.

— Soixante ans. Il me déteste. S'il le pouvait, il me supprimerait volontiers.

— Vous vous trompez, il vous accueille toujours bien.

— Ces choses-là se sentent. Il me déteste, et pourtant il me plaît. J'aime les caractères, moi.

Avant d'atteindre le faîte du coteau, le chemin tourne et découvre une nouvelle vue encadrée entre le remblai de droite et les arbrisseaux qui bordent la gauche et qui, décolorés à demi, mélangeaient le vert du printemps et l'or automnal. Avec les lignes régulières de son architecture en gradins, le Nivolet leur apparut brusquement, réverbérant encore l'éclat du soleil disparu. Les maigres buissons qui agrippent ses rochers prenaient une teinte violette, presque lie de vin, tandis que la chaîne de Margeria, en arrière, se montrait toute rose et charmante avec des tons de chair.

— Voyez ce changement de décor, murmura Maurice sans remarquer que sa compagne se rendait compte de leur solitude bien plutôt que des merveilles du soir.

Comme elle s'arrêtait, il se tourna vers elle :

— Qu'avez-vous ? Etes-vous fatiguée ?

— Non, je vous donne le temps de regarder le paysage.

— Seriez-vous jalouse ?

— Oui, vous aimez votre pays, et moi...

— Et vous ?

— Je ne vous le dirai plus...

— Et moi je vous dirai que je vous aime.

Il la prit dans ses bras. C'était une mince femme brune, aux grands yeux, dont le corps était résistant et les caresses fondantes. Comme elle renversait un peu la tête, sous les paupières à demi fermées et palpitantes, il voyait le regard, le regard noir et or, où toute l'angoissante volupté de la saison et de l'heure se fixait.

— Quelle petite chose, songeait-il en la serrant, je sens là contre ma poitrine, et cette petite chose vaut pour moi l'univers.

Il murmura :

— Je t'aime, Edith.

— Vraiment ? dit-elle, avec son même sourire volontaire.

— Quand seras-tu à moi ?

— Quand je ne serai qu'à toi.

— C'est impossible.

— Pourquoi ?

— Tu es liée.

— Partons ensemble.

— De quoi vivrions-nous ?

— De ma dot.

— Je ne veux pas. Et d'ailleurs tu n'en disposes pas.

— Je la reprendrai.

— Non, non.

— Tu travailleras.

Il se tut. Presque irritée, elle lui jeta des mots d'ironie :

— Ah ! tu préfères obéir à ton papa. Sois comme lui un grand homme de petite ville avec beaucoup d'enfants.

Elle lui vit une telle expression de tristesse qu'elle se blottit sur son cœur.

— Je t'aime et je te tourmente. Mais, vois-tu, j'étouffe dans ton Chambéry. Je voudrais partir, t'aimer librement, vivre. J'ai horreur du mensonge. Et toi, tu ne m'aimes pas.

— Edith, comment peux-tu le dire ?

— Non, tu ne m'aimes pas. Si tu m'aimais vraiment, il y a longtemps que je serais à toi.

Alourdis par ces confidences, ils reprirent lentement leur marche. Débarrassé de son cadre, leur horizon s'élargit et découvrit au fond, après les derniers contreforts du Nivolet, le lac du Bourget dont le bleu se mêlait par teintes dégradées aux vapeurs mauves qui montaient de son extrémité. Mais ils ne regardaient plus rien. Cette douceur mortelle de l'année, cette exaltation inquiète de la nature, cet enthousiasme du soir d'automne qui semblait un grand cri de volupté, qu'avaient-ils besoin de les reconnaître hors de leurs cœurs ?

Avant la maison, ils trouvèrent Mme Roque-

villard qui venait elle-même à la rencontre de
Mme Frasne, bien qu'il lui fût recommandé de ne pas
sortir après le coucher du soleil.

... Plus tard dans la soirée, M. Roquevillard,
revenant du pressoir quand on ne l'attendait pas,
aperçut dans l'ombre son fils et la jeune femme.
Les jours de vendanges, il y a beaucoup d'allées
et venues dans une maison, et il est aisé de se fau-
filer dehors sans être remarqué.

— Il nous a vus, dit Maurice.

— Tant mieux, répliqua-t-elle.

Et comme il passait devant la remise, ancienne
demeure de ses ancêtres, pour regagner le seuil
édifié par son grand-père et agrandi par lui-même,
M. Roquevillard s'efforçait vainement de chasser
l'anxiété qui s'était abattue sur lui.

« J'ai été jeune, » se souvint-il.

Mais sa jeunesse même ne l'avait pas détourné
de consolider l'avenir de sa race. Son fils cadet,
qui le devait continuer, saurait-il à temps ce que
réclame d'énergie et d'abnégation l'honneur d'être
chef de famille ? Peu impressionnable d'habitude,
il sentait autour de lui, comme un vol de mauvais
oiseaux, le désespoir de la Fauchois abandonnée
et la fragilité de l'automne. Tout à l'heure, devant
son domaine, il avait résumé l'ascension des Roquevillard. C'était son orgueil. Et voici que pour une
conversation avec une vieille femme et pour un
baiser surpris, il remarquait, par un pressentiment
sans doute absurde et inexplicable, comment les
saisons déclinent et les familles déchoient.

II

LE CONFLIT

Après le départ de leur fils Hubert, qui tenait garnison à Brest, les Roquevillard avaient quitté la campagne pour reprendre leurs quartiers d'hiver à Chambéry. Ils habitaient le premier étage d'un ancien hôtel qui termine la rue de Boigne, du côté du Château. Octobre touchait à sa fin, et les audiences du tribunal et de la cour d'appel réclamaient l'avocat.

Ce jour-là, après le déjeuner auquel sa femme souffrante n'avait pu assister, M. Roquevillard appela sa fille Marguerite, tandis que son fils s'absorbait dans la lecture des journaux.

— Viens avec moi. Tu me donneras ton avis.

— Sur quoi, père ?

Il regarda Maurice qui n'écoutait pas.

— Sur une nouvelle disposition de mon cabinet.

Ce cabinet de travail, à l'angle de la rue qui s'évase, était une vaste pièce, très haute de plafond, éclairée par quatre fenêtres. Deux de ces fenêtres encadrent en quelque sorte le passé de la Savoie : elles donnent sur le château des anciens ducs, grand corps de bâtiment aux pierres noircies qui date du quatorzième siècle et dont la pesante et plate architecture est à peine relevée par quelques

moulures en saillie. Mais ce vieux logis délabré
s'appuie à droite au chevet de la Sainte-Chapelle,
délicate fleur ogivale que supportent, comme une
tige solide, des soubassements de forteresse. A
gauche, il est dominé par la tour des Archives, couverte de lierre et de vigne vierge, et couronnée
elle-même par un donjon fraîchement repeint en
blanc, qui est comparable, pour son air fanfaron, à
une aigrette ou un panache. Ces constructions,
d'âges et de caractères divers, retardées ou pous-
sées selon les ressources financières des princes et
leurs ambitions, sont moins ordonnées, mais plus
éloquentes que les édifices uniformes dus à un seul
maître des travaux. Une longue suite d'histoire y
habite avec ses heurs et ses malheurs. Les deux
tours émergent d'une masse confuse d'arbres qui,
plantés sur deux terrasses superposées, paraissent
se confondre. Sous les platanes de la terrasse inférieure se dressent les statues récentes de Joseph
et Xavier de Maistre. Ainsi, en peu d'espace, tien-
nent plusieurs siècles de souvenirs. L'endroit est
désert comme une tombe ; seul, le passé y parle.

On a beau être accoutumé à un spectacle : un
jeu de lumière suffit à le renouveler. Quand M. Roquevillard et sa fille entrèrent dans cette pièce,
si le soleil attaquait sans succès la morne façade,
il nuançait de rose les fines dentelles gothiques de
la chapelle, et au-dessus des branches qui, plus
légères, commençaient de se dégarnir, il favorisait
l'éclat de la vigne sur la tour des Archives et flat-
tait la gloriole du donjon.

— Vous êtes bien ici pour travailler, dit Marguerite. J'en suis contente : vous travaillez tant.

— J'aurais désiré que ta mère prît mon cabinet pour son salon. Elle ne l'a jamais voulu. Mais ne remarques-tu rien, petite fille ?

Elle fit des yeux le tour des murs, reconnut les bibliothèques encombrées d'ouvrages de droit et de jurisprudence, quelques portraits d'anciens magistrats, ses ancêtres, rendus plus raides que leur justice par les soins d'artistes médiocres, un lac du Bourget d'Hugard, le meilleur paysagiste savoisien, enfin le plan du domaine de la Vigie encadré avec honneur.

— Non, rien, déclara-t-elle après son inspection.

— Parce que tu regardes en l'air.

Elle se rendit compte alors que la massive table de chêne, large à souhait pour y étaler les dossiers, avait été déplacée au profit d'une autre table, plus petite et élégante, qui jouissait de la plus agréable vue et de la meilleure lumière.

— Oh ! s'écria-t-elle, pourquoi vous reculer ainsi ?

— Mais pour recevoir ton frère.

— Maurice quitte l'étude Frasne ?

— Oui. Il s'installera près de la fenêtre. Vois d'ici l'automne arracher leurs feuilles aux platanes. Moi, je préfère le printemps. Quand on est vieux, on préfère le printemps. Il y a, sous le donjon, un arbre de Judée qui devient alors d'un rouge vif, et des pruniers en fleurs.

Marguerite ne l'écoutait pas et montrait une figure triste.

— Maurice, oui. Mais vous ?

— Petite fille, il faut qu'un jeune homme se plaise chez lui. Ne peux-tu compléter l'arrange-

ment de cette table ? L'orner d'un bouquet, par
exemple.

— Ce n'est pas la saison, père. Je n'ai que des
chrysanthèmes.

— Mets des chrysanthèmes. Un ou deux, pas
plus, dans un long vase. Ils reviennent de Paris,
ces docteurs en droit, avec le goût des jolies choses,
et je n'y entends goutte. Mais toi qui es notre grâce,
tu sauras nous aider à le retenir.

Il souriait, d'un sourire un peu contraint qui
cherchait une approbation. Il s'approcha de la
jeune fille, et posa la main sur ses beaux cheveux
d'un châtain foncé, sans crainte de nuire à la coiffure :

— Tu vas quitter bientôt la maison, Marguerite.
Es-tu contente de te marier ?

Au lieu de répondre, elle s'appuya à son père
et, le cœur lourd, se mit à pleurer. Elle ressemblait à M. Roquevillard sans avoir la même expression de visage. De taille plutôt élevée et vigou-
reuse, le nez un peu busqué, le menton droit, elle
donnait, comme lui, une impression de sécurité,
de loyauté, à quoi de grands yeux bruns, très
ouverts et très purs, — les yeux de sa mère, —
ajoutaient une douceur profonde, tandis que les
yeux de son père, enfoncés et petits, jetaient une
flamme si aiguë qu'on avait peine à supporter leur
regard.

Il s'inquiéta de cet accès de larmes :

— Pourquoi pleures-tu ? Ce mariage ne te convient-il pas ? Raymond Bercy est un gentil garçon,
de bonne bourgeoisie. Il a terminé ses études de
médecine, et il est définitivement fixé dans notre

ville. As-tu quelque chose à lui reprocher ? Il ne faut pas se marier à contre-cœur.

Elle surmonta son émotion pour mumurer :

— Oh ! je n'ai rien à lui reprocher... quoique...

— Parle, petite fille. Là, doucement.

Elle fixa sur son père des yeux admiratifs :

— Quoiqu'il ne soit pas un homme comme vous.

— Tu es absurde.

Calmée elle s'expliqua davantage :

— Je ne sais pas pourquoi je pleure. Je devrais être heureuse. Mais ici, ne l'étais-je pas ? Maintenant mon enfance me revient avec ses joies, avec son soleil. Et je me sens toute douloureuse à la pensée de m'en aller.

Il la réconforta gravement :

— Ne regarde pas en arrière, Marguerite. Ta mère et moi, nous le pouvons. Toi, pense à ton avenir de femme. Donne-toi à cet avenir sans faiblesse.

Elle essaya de sourire :

— Mon avenir, c'est ma famille.

— Celle que tu fonderas, oui.

— Vous me recommandiez souvent, père, dans ces promenades que nous faisions tout l'hiver ensemble, de garder nos traditions.

— Mais les traditions, petite raisonneuse, ne se gardent pas dans une armoire, suivant la méthode de notre voisin de campagne, le vicomte de la Mortellerie, qui s'enferme pour reconstituer des blasons et des généalogies et s'étonne que ses fermiers osent porter des bottes. Elles ne se gardent même pas dans une vieille maison ou un vieux

domaine, bien que la conservation des patrimoines
ait son importance. Elles se mêlent à notre vie, à
nos sentiments, pour leur donner un appui, une
valeur féconde, une durée.

De nouveau, elle le contempla avec de grands
yeux enthousiastes, et soupira :

— Je me suis trop attachée à la maison.

— Non, non, dit son père d'un ton ferme. Un
mariage, c'est toujours un peu l'inconnu, et je
comprends qu'un tel changement d'existence te
préoccupe. Mais puisque ton cœur ni ta raison
n'ont d'objections sérieuses, sois vaillante et gaie
en nous quittant. Tu as été heureuse avec nous,
c'est ma récompense. Mais tu peux, tu dois l'être
sans nous... Va me chercher des fleurs, et Maurice.

— Oui, père.

Après quelques instants, elle revint, portant sur
les bras toute une gerbe. En un tour de main, la
table destinée à son frère fut transformée et d'un
plaisant coup d'œil.

— J'avais encore quelques roses, les dernières.
Là, dans ce vase qui change de couleur au soleil
comme l'opale. C'est très joli.

M. Roquevillard répéta complaisamment :

— C'est joli.

Mais c'était sa fille qu'il louait. Elle rit et s'en-
vola :

— Maintenant, je cours avertir Maurice.

Le jeune homme succéda sans retard à sa sœur.

— Vous avez quelque chose à me dire ? demanda-t-il en entrant, le chapeau et la canne à la
main, comme s'il était pressé de sortir.

Il était de la même haute stature que son père, mais plus maigre et affiné. Bien qu'il fût aussi plus élégant de manières et de tournure, il ne portait pas, comme lui, un caractère de grandeur sur le visage et dans l'attitude. Cette majesté naturelle, M. Roquevillard, en ce moment même, s'efforçait de l'atténuer, de la remplacer par un air d'affectueuse camaraderie.

— Vois comme Marguerite a bien disposé ta table.

— Ma table ?

— Oui, celle-là, celle des roses. Tu es en face du château et du soleil. Ne veux-tu pas achever ton stage avec moi ?

Un rayon caressait les fleurs et, dehors, la tour des Archives et le donjon baignaient dans la lumière. Le jour se faisait complice de M. Roquevillard qui courtisait son fils avec une gaucherie touchante. Mais les fils ne connaissent que plus tard la patience des pères, et seulement par l'apprentissage de la paternité.

— Alors, dit Maurice, je ne dois plus retourner à l'étude Frasne ?

— Non, c'est inutile. Tu connais assez le droit successoral. Tu suivras mieux ici la marche des affaires, et tu fréquenteras les audiences. Si tu le désires, tu pourras passer quelques mois chez ton beau-frère Charles qui t'initiera aux beautés de la procédure. Il est un de nos avoués les plus occupés. Enfin tu débuteras au barreau. Si tu le veux, j'ai une jolie cause à t'offrir. Il y a une question de droit intéressante. Il s'agit de la validité d'un acte de vente.

Jamais il n'avait plaidé avec autant de circonspection et de condescendance. Mais le jeune homme le laissait parler. Il réfléchissait.

— Je croyais, dit-il, qu'il était convenu que je passerais six mois à l'étude de maître Frasne.

— Eh bien ! les six mois sont presque révolus. Tu y es entré au mois de juin, et nous sommes à la fin d'octobre.

— Mais j'ai pris mes vacances au commencement d'août. Elles se sont terminées depuis peu. Et j'examinais ces jours-ci d'importantes liquidations.

— Nous les retrouverons au Palais, tes liquidations, répliqua M. Roquevillard avec rondeur. Elles reviennent le plus souvent au Tribunal. J'ai, pour cette rentrée, un nombre d'affaires exceptionnel. Tu m'aideras. Va chercher ta serviette chez maître Frasne et installe-toi.

— Maître Frasne est absent. Il conviendrait de l'attendre.

Il accumulait les objections, mais son père n'en avait point souci.

— Demain, il sera de retour. Je l'ai d'ailleurs avisé avant son départ.

A cette nouvelle, Maurice, qui en cherchait l'occasion, se rebiffa :

— Vous l'avez averti sans me prévenir ? Je serai donc toujours ici un petit garçon. On dispose de moi comme d'une chose. Mais, je n'entends pas qu'on me prenne mon indépendance. Je suis libre, et je prétends être au moins consulté, sinon agir à ma guise.

Devant cette révolte qu'il avait prévue et dont il

devinait la cause secrète, M. Roquevillard garda son calme, malgré le tour irrespectueux que prenait la conversation. Il savait que les chevaux de sang sont les plus difficiles à manier, et de même les caractères les mieux trempés.

— Petit ou grand garçon, dit-il simplement, tu es mon fils et je t'aide à préparer ton avenir.

Mais le jeune homme fonça sur l'obstacle que tous deux jusqu'alors avaient écarté.

— A quoi bon le dissimuler ? Je sais bien pourquoi vous me retirez de l'étude Frasne.

La présence d'esprit de son père faillit éviter le heurt :

— Seras-tu donc si mal dans mon cabinet, et peux-tu si légèrement dédaigner ma direction ? Ton indépendance sera-t-elle menacée parce que tu profiteras de mon expérience professionnelle, de mes quarante ans de barreau ? Je ne te comprends pas.

Le sentant ébranlé, il crut achever sa victoire par un peu de tendresse :

— Ta mère est malade. Ta sœur va nous quitter. Avec toi, je serai moins seul.

Un instant, il espéra qu'il avait détourné l'orage. Après avoir hésité, — car, tout au fond de lui-même, il admirait son père, — Maurice, croyant remporter une victoire sur l'hypocrisie, se jeta de nouveau à corps perdu dans l'offensive.

— Oui, on vous a prévenu contre moi à l'occasion de Mme Frasne. Que vous a-t-on dit ? Je veux le savoir, j'ai le droit de le savoir. Ah ! la vie est intenable en province. On y est surveillé, épié, guetté, garrotté, et les plus nobles sentiments y sont travestis par tout ce qu'une ville peut compter

de tartuffes envieux et de venimeuses dévotes.
Mais vous, père, je n'admets pas que vous écoutiez
d'aussi basses calomnies qui ne craignent pas de
s'attaquer à la plus honnête des femmes.

M. Roquevillard cessa de se dérober.

— Je t'ai laissé parler, Maurice. Maintenant,
écoute-moi. Je ne m'occupe point des on-dit, et je
ne te demande pas s'il est vrai que, pendant les
absences de ton patron qui est très actif en affaires,
tu es plus souvent au salon que dans l'étude.
Toutes les raisons que je t'ai données sont équi-
tables. Mais puisque tu m'interpelles de la sorte,
je ne fuirai pas ce débat. Oui, c'est à cause d'elle
aussi que je te prie de terminer chez moi ton stage,
comme il est naturel. Et je n'ai besoin de prêter
l'oreille à aucune calomnie : il me suffit de ce que
j'ai vu.

— Et quoi donc ?

— C'est inutile, n'insiste pas.

— Vous m'avez menacé, je veux savoir.

— Soit. Quand ta mère, sur ta demande, reçoit
des invités, tu devrais au moins respecter notre
toit. Tu sais maintenant à quoi je fais allusion.

Mais rendu maladroit par la colère, Maurice,
encore une fois, passa outre avec l'avidité de justifier la passion par des raisonnements :

— Ma vie personnelle aussi est respectable. Je
ne veux pas qu'on s'en mêle. Je vous ai donné satisfaction sur tous les points où je puis vous devoir
des comptes.

— Maurice !

— J'ai réussi à mes examens, brillamment. Je
suis revenu de Paris après six années, sans un

sou de dettes. Quel blâme ai-je mérité ? Vous
n'avez même pas à me reprocher quelqu'une des
ces basses liaisons de quartier Latin qui sont en
usage chez les étudiants.

— Je ne t'ai adressé aucun reproche. Mais,
malheureux enfant...

— Je ne suis pas un enfant.

— On est toujours un enfant pour son père. Ne
comprends-tu pas que précisément parce que le
travail, la fierté, les traditions de famille qui
donnent le sens de l'ordre et de la discipline, ont
sauvegardé ta jeunesse, cette femme plus âgée
que toi, dont je n'ai pas prononcé le nom ici le
premier, est plus redoutable pour toi ? Sais-tu seulement ce qu'elle est ?

— Ne parlez pas d'elle ! s'écria Maurice.

— J'en parlerai pourtant, reprit M. Roquevillard d'un ton qui devint brusquement impérieux.
Suis-je le chef de famille ? Et de quel droit m'impo-
serais-tu silence ? Crains-tu donc que j'aille recou-
rir à des arguments sans dignité ? Ce serait mal me
connaître.

— Mme Frasne est une honnête femme, répéta
le jeune homme.

— Oui, de ces honnêtes femmes qui ont besoin
de jouer avec le feu pour se distraire, qui n'ont de
cesse, dans un salon, qu'elles n'accaparent tous
les hommes, et jusqu'aux vieillards. De ces honnêtes femmes d'aujourd'hui qui ont tout lu, excepté
l'Evangile, tout compris, hormis le devoir, tout
excusé, sauf la vertu, et qui se prévalent de toutes
les libertés, mais dédaignent celle de faire le bien
qui ne leur a jamais été refusée. Pourquoi sont-

elles honnêtes ? On n'en sait rien. La foi ni la
pudeur ne les retiennent, et quant à l'honneur,
c'est une religion pour hommes seuls. Ce sont des
révoltées : dans la jeunesse on peut se contenter
des mots ; quand elle menace de s'enfuir, crois-
moi, on veut les réalités. Celle-là, qui est la jeune
femme d'un mari déjà mûr, devrait se souvenir
tout au moins qu'il la loge et la nourrit, car il l'a
prise sans le sou.

— C'est faux : elle a eu cent mille francs de
dot.

— Qui te l'a dit ?

— Elle-même.

— Je veux bien. Pourtant, mon vieil ami Clairval, qui nous les a présentés lors de l'installation
de son successeur, m'a renseigné. Il ne parle pas
légèrement. Partagée entre la crainte de la misère
ou, tout au moins, de la déchéance matérielle, et
celle de son mari dont la figure fermée n'est pas
rassurante, qu'elle préfère encore le mari, c'est là
toute sa sagesse.

Tout frémissant de ce mépris qui atteignait son
idole, Maurice avança d'un pas.

— Assez, père, je vous en prie. N'accusez pas
sa lâcheté, ne défiez pas son courage : je vous
assure que vous auriez tort. Je ne veux plus l'entendre diffamer, et je m'en vais.

— Je te défends de remettre les pieds à l'étude
Frasne.

— Prenez garde que je ne refuse de les remettre
ici.

Du seuil de la porte il avait lancé cette menace.

— Maurice ! appela M. Roquevillard d'une voix

changée, qui était plus suppliante qu'autoritaire.

Il se précipita sur ses pas : l'antichambre était vide, le jeune homme descendait l'escalier. Seul dans le grand cabinet clair, il regarda la petite table où le soleil caressait les roses, tous ces préparatifs de bon accueil qu'approuvaient les vieux portraits, et, de la fenêtre, le paysage du passé, et il se sentit abandonné comme un chef d'armée un soir de défaite.

« Est-ce qu'un fils, songeait-il, se soulève ainsi contre son père ? Je lui parlais doucement au début ; il s'est tout de suite irrité... Comme cette femme est puissante et que je voudrais la briser !... Il reviendra, il est impossible qu'il ne revienne pas. J'irai le chercher au besoin... J'ai été trop loin, peut-être. Je l'ai blessé sans raison. Il l'aime, le pauvre enfant ; il croit ce qu'elle lui raconte. Avec sa voix de sirène, ses yeux de feu et toutes ses grimaces, elle l'a enjôlé et se joue de lui. Oui, j'ai eu tort de les défier. Par leur haine de l'hypocrisie et leur révolte contre la société, ces femmes-là sont plus dangereuses que celles d'autrefois... Il a couru chez elle sans doute. Elle va l'exciter contre moi, contre son père. Contre ton père, Maurice, dont l'amour veut te maintenir dans la voie droite... »

Il n'était pas l'homme des gémissements superflus. Cherchant une décision à prendre, il entra dans la chambre de sa femme. C'était là qu'il venait demander conseil dans les occasions difficiles. Mais les rideaux étaient tirés, Mme Roquevillard sommeillait. Minée par une lente consomption que l'âge avait déterminée, elle souffrait

de névralgies faciales qui l'anéantissaient momentanément. Bien des fois, depuis des années, il avait
ainsi ouvert sa porte, comptant sur son calme
jugement, sur sa clairvoyance, et il avait dû s'éloigner sans bruit, réduit à ses propres ressources.
Il sentait moins sa force depuis qu'elle était abattue. Il s'agissait de leur fils : une mère est plus habile
et plus influente, elle eût peut-être conjuré le péril.

« Je suis seul, » pensa-t-il avec tristesse au
chevet de la malade.

Et doucement, à pas de loup, il sortit. Au salon
il trouva Marguerite qui écrivait, et cette chère
image le rasséréna.

« Voilà celle qui m'aidera, se dit-il. Il n'est pas
de sœur plus dévouée. »

Il s'approcha d'elle, et comme elle relevait la
tête pour lui sourire, il s'efforça de lui dissimuler
son inquiétude.

— Que fais-tu, petite ? Je gage que tu commandes
ton trousseau à quelque grand magasin.

— Père, vous n'y êtes pas du tout.

— Tu annonces à tes amies de pension la nouvelle de tes fiançailles ?

— Pas davantage.

— Alors tu rappelles à ton fiancé qu'il dîne ce
soir ici.

— Ce n'est pas la peine.

Elle lui tendit le cahier dont elle se servait. Il
reconnut le *livre de famille*. Comme il était d'usage
autrefois, les Roquevillard tenaient un de ces
livres de raison où nos aïeux notaient, à côté de
l'administration du patrimoine, les faits importants
de la vie privée, tels que mariages, décès, nais-

sances, honneurs, charges, contrats, et qui, évo-
quant le passé avec la majesté d'un testament,
enseignent la confiance dans l'avenir à celui qui
s'inspire de ses pères et se promet d'être leur
digne descendant.

— Je le mets à jour, ajouta la jeune fille. Le
retour de Maurice et la décoration d'Hubert
n'avaient pas encore été inscrits.

M. Roquevillard feuilleta, non sans orgueil, le
volume qui attestait la patiente énergie de sa race,

— Qui le tiendra après toi, Marguerite ?

— Mais je continuerai, père.

— Non, une femme doit appartenir à son nouveau foyer.

Elle rougit comme un écolier pris en faute :

— J'ai peur de faire une bien mauvaise femme,
car je demeurerai toujours attachée à l'ancien. Tout
ce qui s'y passe retentit en moi, jusqu'à mon cœur.

Il ne put s'empêcher de murmurer :

— Chère enfant.

— Et Maurice, reprit-elle, est-il content de son
installation, de mes roses, de la fenêtre ? A sa
place, je serais ravie de travailler près de vous.

Ainsi, elle le suivait dans ses préoccupations,
lui facilitait les confidences.

— C'est de lui que je venais te parler. Nous
avons eu une discussion tout à l'heure. J'ai été
peut-être un peu vif.

— Vous, père ?

— Enfin, je l'ai froissé. Il est sorti avec colère,
et la colère est de mauvais conseil. Va le chercher,
Marguerite : tu sauras le ramener.

Vivement, elle se leva, déjà prête :

— Où est-il ?

— Je l'ignore. Peut-être à l'étude Frasne. Dans tous les cas, la ville n'est pas grande. Tu le rencontreras. Dieu veuille que tu le rencontres.

— J'y vais.

— Tu comprends, ajouta doucement M. Roquevillard, je ne puis pas y aller moi-même.

— Oh ! non, pas vous. Il ne le mérite pas. Il est tout drôle depuis quelque temps ; on dirait qu'il nous aime moins.

Le père et la fille se regardèrent, se comprirent, mais n'approfondirent pas davantage ce sujet.

Elle mit à la hâte son chapeau et sa jaquette, et s'enfuit à la poursuite de Maurice. Dans la rue, elle tourna le dos au château, descendit la rue de Boigne, et, par un de ces nombreux passages qui forment à Chambéry comme un réseau de voies intérieures ; elle gagna la place de l'Hôtel-de-Ville. C'est l'ancienne place de Lans où jadis affluait la vie commerciale de la cité : quelques bâtiments de guingois, une de ces maisons italiennes ornées de véranda et de loggia, qui peuvent être décoratives en photographie ou en carte postale, et sont en réalité salles, vermoulues, navrantes, ne réussissent pas à lui donner de l'intérêt. Sur la façade d'un immeuble restauré, une plaque de marbre noir porte cette inscription :

DANS CETTE MAISON
SONT NÉS
JOSEPH DE MAISTRE, LE 1er AVRIL 1753
ET
XAVIER DE MAISTRE, LE 8 NOVEMBRE 1763

Au-dessous, un panonceau doré annonçait une étude de notaire. Marguerite Roquevillard chercha des yeux l'indication historique et monta l'escalier. Le cœur battant, car sa démarche lui coûtait fort, elle frappa à la porte de l'étude Frasne, entra, et s'adressant au premier clerc qu'elle aperçut, elle demanda :

— Mon frère, M. Maurice Roquevillard, je vous prie ?

— Il n'y est pas, mademoisele, répondit le jeune homme en se levant avec beaucoup de politesse. Il n'est pas venu cet après-midi.

Mais derrière un pupitre, un autre clerc, qu'elle ne voyait pas, lança d'une voix acerbe où se devinait une longue rancune amassée :

— Voyez chez Mme Frasne.

La jeune fille rougit jusqu'aux oreilles, mais remercia, et sans retard alla sonner, en effet à l'appartement de Mme Frasne. Il lui fut répondu que Madame était sortie. Elle en fut soulagée sur le moment et, après quelques pas, le regretta, car c'était sa plus grande chance de rejoindre son frère. Où le découvrir ? Elle se rendit rue Favre, chez Mme Marcellaz, sa sœur aînée, qui revenait de promenade avec les trois enfants. Le petit Julien se jeta sur elle et refusa de la laisser partir, tandis que la jeune femme expliquait avec indifférence :

— Non, il n'est pas ici. Il ne me rend guère visite.

Un bobo d'Adrienne, qui se plaignait, la préoccupait bien davantage.

Après ces échecs, Marguerite commença de parcourir la ville, sans grand espoir, marchant très

vite, comme si la crainte la talonnait. Sous les
Portiques, elle croisa son fiancé, qui fit un mouvement pour l'arrêter, et, après l'avoir dépassé, elle
se retourna pour venir à lui.

— Bonjour, Raymond, lui dit-elle sans perdre
une minute. N'avez-vous pas rencontré Maurice ?

— Non, Marguerite. Vous le cherchez ?

— Oui.

— Faut-il vous aider ?

— Non, merci. A ce soir.

Raymond la regarda qui s'éloignait de son pas
agile :

« Elle n'est pas aimable, pensait le jeune homme.
Avec moi, elle est toujours si réservée... »

Mais il l'accompagna des yeux jusqu'à sa disparition.

Marguerite, continuant ses vaines courses, fut
accostée devant la cathédrale par une petite amie,
Jeanne Sassenay, qui passait avec sa bonne. C'était
une fillette de seize ou dix-sept ans, plus enfant que
son âge, avec des nattes blondes sur le dos et une
physionomie toute mignonne et mobile. Elle se précipita sur Mlle Roquevillard qu'elle admirait fort :

— Mademoiselle Marguerite, vous êtes bien
pressée.

— Bonjour, Jeanne.

— Vous imitez votre frère, qui me rencontre
dans la rue sans me saluer. Pourtant, je suis d'âge
à être saluée.

Et baissant un peu la tête, d'un coup d'œil elle
crut allonger le bas de sa robe.

— Evidemment, concéda Marguerite. Mais où
donc avez-vous rencontré Maurice ?

— Sur le pont du Reclus.

— Maintenant ?

— Oh ! non. C'était avant ma leçon de musique, il y a une heure ou deux.

— Où allait-il ?

— Je n'en sais rien. Vous lui direz qu'il n'est pas gentil.

— Je le lui dirai sans aucun doute. Avec mes amies surtout, c'est impardonnable.

— Je le lui pardonne tout de même, avoua Jeanne Sassenay en éclatant de rire, ce qui lui permit de montrer des dents blanches prêtes à mordre avec appétit.

Demeurée seule, Mlle Roquevillard vit la porte de l'église entr'ouverte, et pénétra dans le lieu saint. A cette heure, il n'y avait sous les voûtes que deux ou trois formes noires agenouillées de loin en loin. Mais elle eut beaucoup de peine à prier : tantôt elle imaginait quelle femme charmante pourrait être, plus tard, dans trois ou quatre ans, cette fillette vive et gaie, et cependant sérieuse, pour son frère Maurice ; tantôt elle se rappelait le visage anxieux de son père. A elle-même, elle ne songeait point. Sur le seuil elle fut toute saisie à la pensée que sa méditation ne contenait rien pour son fiancé ni pour elle.

Animée d'un nouveau courage, elle retourna sans plus de succès à l'étude Frasne, mais cette fois elle ne sonna pas chez Mme Frasne. De guerre lasse, elle se résigna enfin à la défaite. Comme elle remontait la rue de Boigne, dans le jour qui tombait la tour des Archives et le donjon du château se profilaient en face d'elle sur un ciel rouge.

Aux flammes du couchant, ces témoins du passé
surgissaient dans toute leur gloire, comme pour
resplendir une dernière fois avant de s'effondrer.
C'était un de ces soirs d'apothéose réservés à l'automne, d'un éclat émouvant tant on le sent fragile.
C'était un de ces moments de grandeur qui sont
le prélude de la décadence.

Elle fut frappée de ce fier dessin découpé sur
l'embrasement du ciel, mais, au lieu de ralentir le
pas afin de le mieux apprécier, elle franchit en
hâte le vieux porche familial.

— M. Maurice est-il rentré ? s'informa-t-elle dès
la porte.

— Non, mademoiselle, pas encore, expliqua la
femme de chambre, Monsieur vous attend.

Déjà M. Roquevillard, qui l'avait entendue,
ouvrait son cabinet pour la recevoir.

— Eh bien, Marguerite ?

— Père, je ne l'ai pas retrouvé.

Et dans ce dialogue qu'échangèrent le père et la
fille, il y avait toute l'angoisse secrète et encore
incertaine d'un malheur menaçant, — d'un
malheur plus grand que n'en provoquent d'habitude
les égarements de la jeunesse, à cause de l'audacieuse force qu'ils pressentaient en Mme Frasne.

III

LE CALVAIRE DE LÉMENC

Au sortir de la maison paternelle, Maurice Roquevillard traversa la ville et monta tout droit au calvaire de Lémenc, où Mme Frasne lui avait donné rendez-vous.

Le choix de ce lieu était déjà un défi à l'opinion : il domine Chambéry, et de partout on l'aperçoit. C'était jadis un rocher nu, d'une importance stratégique si considérable qu'on y avait installé, du temps des anciens ducs, un signal à feu pour correspondre avec le signal de Lépine et la Roche du Guet, cimes avancées, redoutables sentinelles qui commandaient la frontière française. On y accède aujourd'hui par un chemin montant qui part du faubourg de Reclus, au-dessus des lignes ferrées, et longe d'un côté les hauts murs d'un couvent, de l'autre de chétives maisons populaires à un étage. Au sortir de ce défilé, on débouche dans la campagne, et l'on découvre en face de soi la petite colline couronnée, non plus d'un artifice de guerre, mais d'une chapelle qui se détache sur le fond clair et lointain de la chaîne du Revard et du Nivolet. Dès lors, le sentier est à découvert. Une mince bordure d'acacias le protège insuffisamment. Taillé à même la pierre, il foule une herbe maigre.

Un chemin de croix incomplet, aux niches vides,
l'accompagne dans son ascension. C'est une promenade abandonnée, et si l'on y est vu de loin, on
n'y rencontre jamais personne.

La petite chapelle du Calvaire, d'architecture
byzantine, se compose d'un dôme et d'un péristyle
supporté par quatre colonnes et surélevé de quelques marches. Un archevêque de Chambéry y fut
enseveli en 839. Son tombeau est creusé dans le
roc, mais l'intérieur du monument est vide.

Dès la première station au bas du sentier, Maurice distingua une forme humaine assise sur l'escalier, entre les colonnes. Elle l'attendait. En vain,
à côté de lui, les branches d'or pâle des acacias
égalaient-elles en légèreté les fleurs de mimosa ;
en vain les montagnes violettes se fondaient-elles
devant lui à la lumière d'automne : il ne voyait
qu'elle au pied du Calvaire qui l'encadrait. Les
coudes aux genoux, elle supportait son visage
dans ses deux mains ouvertes, qui paraissaient
roses et transparentes au soleil. Immobile, elle le
regardait venir de ses yeux de feu. Il se hâtait à
en perdre le souffle. Quand il fut près d'elle, elle se
leva d'un seul mouvement imprévu, comme en
ont ces fauves nonchalants dont on devine tout à
coup les muscles.

— J'ai eu peur que tu ne vinsses pas, dit-elle,
et ma vie s'arrêtait.

— J'ai été retenu, Edith.

Il était si bouleversé qu'elle ne lui adressa pas
de reproches. Elle le prit par la main et l'emmena
derrière la chapelle. Là, elle lui montra l'herbe
plus grasse et l'ombre favorable.

— Asseyons-nous, veux-tu ? Il ne fait pas froid.
Nous serons bien.

Ils s'insta lèrent côte à côte, appuyés au mur
du Calvaire qui les séparait de Chambéry et du
monde. Ils ne voyaient en face d'eux que les
pentes du Nivolet en pleine clarté. Elle se pelo-
tonna contre lui, toute caressante.

— Je t'aime tant, murmura-t-il comme une
plainte.

Leur amour n'était-il pas douloureux et déli-
cieux ensemble ? Ils se tutoyaient : cependant, ils
n'étaient pas amants. Elle s'écarta un peu de lui
pour mieux le voir.

— Tu as souffert ? Est-ce à cause de moi ?

Il résuma brièvement la scène qu'il avait eue
avec son père, et qui impliquait la découverte de
leurs amours, de plus grandes difficultés futures,
et il ajouta :

— Qu'allons-nous devenir ?

Elle répéta :

— Oui, qu'allons-nous devenir ? Notre secret
n'est plus à nous, et, moi, je ne sais plus le cacher.

— Notre secret n'est plus à nous, reprit-il amèrement à son tour, et toi, tu n'as jamais été mienne.

Elle posa la tête sur la poitrine du jeune homme,
et de sa voix aux inflexions si câlines qu'elles
appuyaient sur le cœur comme les doigts sur un
clavier, elle s'appliqua, en le berçant, à le soumettre :

— Ose dire que je ne suis pas tienne. Quand
me suis-je refusée, méchant ? Veux-tu partir ? Je
suis à toi. Tu es si jeune, et moi j'ai trente ans
bientôt. Trente ans, et mon amour, qui est ma vie,

ne date que de quelques mois : je t'ai regardé, il y avait du soleil sur toi, et je suis sortie de l'ombre pour te rejoindre. Un jour, je te dirai mon enfance, et ma jeunesse et mon mariage, et ce sera pour voir tes larmes.

— Edith !

— Ah ! celles pour qui le mariage est une porte de lumière et non une porte de prison ont beau jeu à mépriser nos faiblesses ! Quand le destin les comble, l'ont-elles plus que nous mérité ? Mais elles ne se posent jamais une telle question. Le bonheur lui était dû sans doute. Elles ne font même rien pour le garder, et s'il leur arrivait de le perdre, elles accuseraient le sort avec fureur sans un retour sur elles-mêmes.

— Edith ! je t'aime et tu n'es pas heureuse.

Se soulevant à demi, elle lui entoura le visage de ses mains dans un geste d'adoration :

— Donne-moi un an de ta vie pour toute la mienne. Veux-tu ? Viens, partons, oublions... Je ne veux plus mentir... Je ne veux plus appartenir à un autre. Je ne peux plus, puisque je suis à toi.

D'un bond, elle fut debout. En arrière de la chapelle, non loin d'eux, la roche descendait à pic sur la route d'Aix. Elle s'approcha du bord pour narguer le vide.

— Edith ! cria-t-il en se redressant.

Elle revint à lui, calmée et souriante.

— J'aime le vertige, mais je ne le sens que là, dit-elle en reprenant sa place près de lui.

Ce fut pour recommencer de tourmenter l'avenir :

— Notre secret est à tout le monde. Mon mari

le saura bientôt. Il s'en doute déjà. Il m'aime
à sa manière, qui me révolte. Je suis sûr qu'il
nous épie. Il se vengera. Il combinera lentement
sa vengeance, comme tout ce qu'il entreprend.

— Ecoute, Edith ; il faut divorcer.

— Divorcer, oui, j'y ai pensé. Et si mon mari
s'y oppose ? Et il s'y opposera. Et puis, un divorce,
c'est toujours un an, deux ans, peut-être plus. On
m'obligera à une résidence chez des parents, loin
d'ici. Toujours attendre. Encore deux ans de réclusion : j'en sortirais toute vieille. Je serais séparée
de toi. Séparée de toi, comprends-tu ? Je suis renseignée, tu vois : c'est impossible.

Ils se turent. Dans le silence qui les environnait,
appuyés l'un à l'autre, ils entendaient l'appel sourd
de leurs êtres. Un frôlement, le long du mur, près
d'eux, les fit tressaillir.

— On vient, murmura-t-il.

— Restons, répondit-elle impérieusement.

Ils restèrent. Leur destinée se jouait en eux-
mêmes et déjà ne dépendait plus des autres. Mais
leur témoin n'était qu'une chèvre qui broutait
l'herbe rare. Une fillette la suivait avec une gaule :
elle les considéra d'un œil stupide et continua son
chemin. Et ils regrettèrent que leur imprudence
n'eût pas entraîné de suites irréparables.

Le temps passait, et lui ne se décidait point.
Reprendraient-ils leurs chaînes plus lourdes, en
descendant la colline, ou les briseraient-ils, inca-
pables d'accepter de nouvelles précautions ? Elle se
coula tout contre lui, cherchant à lire dans ses yeux:

— Tes yeux, tes chers yeux, pourquoi fuient-ils
mon regard ?

— Je ne sais pas, soupira-t-il en les fermant à demi, pris de vertige comme tout à l'heure lorsqu'elle défiait le vide.

Elle l'embrassa sur les paupières avec ces mots dont la douceur enveloppait une audacieuse décision :

— Ces jours dorés, ces jours d'automne, je sens mon cœur qui se brise. Chaque soir qui descend m'est cruel comme un bonheur qui m'est volé. Je partirai ce soir, le sais-tu ?

A cette fin inattendue il tressaillit et se dégagea de son étreinte :

— Tais-toi, Edith.

— Ces jours derniers, quand je te le disais, tu croyais à de vaines menaces. Maurice, tu te trompais, je partirai ce soir.

D'autres fois, elle l'avait tenté ainsi, et toujours il avait écarté ce projet comme irréalisable, allant jusqu'à lui offrir de partir le premier, et de l'appeler à lui, dans la suite, dès qu'il aurait obtenu à Paris quelque situation. Inquiet, effaré, suppliant, devant ce nouvel assaut plus vif que tous les autres et plus immédiat, il s'efforça de la retenir encore.

— Tais-toi. Je reste, moi, et je t'aime.

Pour la troisième fois, autoritaire et exaltée, elle répéta :

— Je partirai ce soir. A minuit passe le train d'Italie. A minuit je serai libre.

Il se tordit les mains de désespoir.

— Tais-toi.

— Libre de crier mon amour. Libre, si tu n'es pas là, de goûter cette joie nouvelle de pleurer sans contrainte. Libre de t'adorer, si tu viens.

— Par pitié, ne me tente plus.

— J'étouffe dans ta ville. Vos maisons histo
riques sentent le moisi. J'étouffe de tendresse, vois-
tu. Ici, nous serons toujours séparés. Je veux jouir
de ma douleur, si tu ne viens pas ; si tu viens, je
veux respirer la vie. Viendras-tu ?... Viendras-tu
ce soir ?

Elle acheva de l'étourdir avec des baisers, et il
promit.

Un instant elle savoura son triomphe en silence,
puis murmura :

— J'ai oublié tout mon passé.

Elle l'entraîna hors de leur retraite, devant le
Calvaire, au soleil. A quoi bon désormais se dissimuler ? Ils virent dans un éblouissement, sous un
ciel net, les formes radieuses et diverses de la
terre. C'était, devant eux, à l'extrémité de l'horizon,
comblant tout l'espace vide que laissent entre leurs
masses noires le Granier et la Roche du Guet, la
dentelle légère des Alpes dauphinoises, — le
Sept-Laux, Berlange, le Grand-Charnier, — que
la première neige avait poudrées et que l'heure du
jour teintait de rose. Moins éloignées et plus à
droite, les pentes boisées du Corbelet et de Lépine,
entre lesquelles se creuse le val des Echelles, portaient, comme une toison rousse, leurs buissons
et leurs forêts incendiés par l'automne. Devant ces
chaînes de montagnes s'étageait la guirlande des coteaux délicats, les Charmettes, Montagnole, Saint-
Cassin, Vimines, dont les courbes molles, les ondulations nonchalantes reposaient le regard. Des
coulées de lumière se glissaient dans leurs replis,
jaillissaient en poussière entre leurs ombres. Les

flèches aiguës des clochers, les peupliers d'or vert
servaient de points saillants au décor. Dans la
plaine, Chambéry sommeillait. Et tout près enfin,
au bas de la colline, une vigne d'or mat et d'or
rouge jetait, comme un cri de joie, sa note éclatante.

— Montre-moi l'Italie, demanda-t-elle.

D'un geste négligent il désigna leur gauche. Mais
au lieu de suivre la direction de son bras, elle se
tourna vers lui. De lui voir un visage d'angoisse,
elle demeura interdite. Elle avait compris. Elle
pouvait, elle, admirer, comme un touriste qui passe,
cette exaltation de la nature. Son compagnon ne
la sentait pas ainsi. N'était-ce pas le suprême effort
que tentait son pays pour le retenir ? Là bas, il
reconnaissait la Vigie, et voici que les souvenirs
de son enfance, de son enfance toute claire et lim-
pide, se levaient de terre comme des oiseaux pour
venir à lui. Plus près, c'était, désignée par le voisinage du château, *la maison*, ce que chacun de
nous appelle, tout petit, la maison, comme s'il n'y
en avait qu'une au monde.

Dans les yeux de Maurice, elle suivait ce dernier
combat avec une sorte d'envie, elle qui n'avait rien
à sacrifier. Après un soupir elle lui toucha l'épaule.

— Ecoute, dit-elle, laisse-moi partir seule.

Mais il supporta malaisément de se sentir deviné
jusque dans les plus obscures protestations de son
être intime, et les plus instinctives.

— Non ! non ! Tu ne m'aimes donc plus ?

— Si je t'aime !

Elle lui sourit d'un sourire infiniment tendre
qu'il ne vit pas. La flamme de ses yeux se voila.

Femme d'aujourd'hui, affamée de sincérité et de
vie personnelle, soudainement impatiente après
neuf ans de patience muette, elle était décidée,
coûte que coûte, à profiter de l'absence momen-
tanée de son mari pour s'évader hors de la prison
du mariage. Son romanesque départ était minu-
tieusement préparé dans ses conditions pratiques
et dans le choix de l'heure. L'irritation favorable
de Maurice le livrait presque à sa merci. Mais
comment témoignerait-elle à son amant le plus
d'amour : en l'associant à sa destinée inévitable et
dangereuse, ou bien en le laissant à son milieu
naturel ? Avant de l'aimer, elle ne trouvait pas son
existence insupportable. Il avait soufflé en elle,
sans le savoir, l'esprit de révolte. Comment se
séparerait-elle de lui ? L'offre qu'elle venait de lui
faire brisait son propre cœur, et cependant elle
insista. Jamais elle ne devait plus rencontrer ce
détachement de soi-même que la passion traverse
parfois comme une prairie humide que le soleil
dévorant va sécher.

— Peu à peu, lentement, reprit-elle, tu m'ou-
blierais. Ne proteste pas. Ecoute-moi. Tu es si
jeune. Toute la vie est devant toi. Laisse-moi partir.

Mais il se révolta de cette injurieuse condescendance. Qui pouvait le retenir ? Sa raison — une
raison de vingt-quatre ans — ne lui avait-elle pas
révélé le droit de chacun au bonheur ?

— Je ne veux pas de la vie sans toi.

— Je resterai, dit-elle encore, si tu le préfères.
J'apprendrai à mieux mentir, tu verras. Quand on
aime, toutes les lâchetés sont permises pour son
amour.

C'était une proposition trop tardive. Cette fois elle le savait et guettait un refus. En le recevant, elle s'abattit sur la poitrine de son ami qui murmura :

— Je t'aime jusqu'à mourir.

— Seulement ? Moi, c'est bien davantage.

— C'est impossible.

— Oh ! si. Jusqu'au crime.

Et sans transition, elle jeta négligemment :

— Ce soir j'emporterai ma dot.

Il se souvint des doutes de son père :

— Ta dot ?

— Oui. Elle est inscrite dans mon contrat. Ne te l'ai-je pas montré ?

— Tu n'as pas le droit de la prendre. Un jugement te la rendra.

— Ce qui est à moi, je l'abandonnerais à mon mari ? Et de quoi vivrions-nous ?

— Ce soir, Edith, j'aurai quelque argent. Puis j'obtiendrai une situation à Paris. Un de mes camarades dont le père dirige une grande compagnie m'a promis de me faire réserver une place au contentieux. Ces temps derniers, je lui ai rappelé sa promesse à tout hasard.

Elle ne découragea pas ce candide optimisme :

— Oui, tu travailleras. Nous irons à Paris, plus tard. Mais ce soir, c'est pour l'Italie que nous partons.

— Pourquoi ?

— N'est-ce pas le pèlerinage obligatoire des voyages de noces ?

Elle inclina la tête avec modestie. Dans sa souplesse, elle parut instantanément une jeune fiancée.

cette femme de trente ans dont le visage pouvait
passer d'un air de désenchantement à une expression de grâce enfantine, et qui était avide de mordre
à la vie comme à ces fruits verts dont la seule vue
agace les dents.

L'ombre, déjà, envahissait la plaine. Devant eux,
les plans du paysage s'accentuaient, tandis que
s'empourpraient les teintes d'or. Elle souffrait de
ces trop beaux soirs d'octobre comme d'un désir :

— Demain, dit-elle, demain.

Il fit un pas en avant, et tournant délibérément
le dos au décor, il la regarda, elle seule, qui s'appuyait à une colonne sous le péristyle de la chapelle. N'était-elle pas désormais sa patrie ?

Ce leur fut une sorte de revanche prise contre
la ville que de descendre ensemble la colline de
Lémenc jusqu'au pont du Reclus, avec le risque de
rencontrer des personnes de leur connaissance.

— Cinq heures bientôt, dit-elle au moment de
le quitter. Encore sept heures.

L'espoir avivait la flamme de ses yeux tandis
qu'il entrevoyait, lui, avec dégoût, ces heures
cruelles où il devrait tromper sa famille. Elle le
devina et s'apitoya sur le sort de son amant, afin
de détruire par avance les influences qu'elle redoutait :

— Pauvre enfant, sauras-tu mentir tout un soir ?

Il tressaillit de se sentir découvert, et lui répéta,
non sans âpreté, des paroles qu'elle avait pronon-
cées :

— Il n'y a plus de lâchetés quand on aime.

— C'est horrible, reprit-elle, tu verras. Tu
comprendras ma honte et ma fatigue. Moi, je

mens depuis que je t'aime. Courage. A ce soir.

Avant de rentrer, il fit en hâte quelques dé-
marches pour emprunter l'argent nécessaire. De
son grand-oncle Étienne Roquevillard, vieil ori-
ginal qui passait pour avare, et de sa tante Thérèse, pieuse et aumônière, il obtint des subsides,
un millier de francs environ, plus cinq cents de sa
sœur, Mme Marcellaz, et autant de son futur beau-
frère, Raymond Bercy. Il dut invoquer l'obligation
de dettes contractées au cours de ses années
d'études. Cette ruse lui procura une humiliation
qu'il offrit à son amour, mais sans y trouver l'apai-
sement. Cependant il ne réfléchit pas que tous
les étrangers auxquels il s'était adressé avaient
refusé de lui porter secours, tandis que sa famille,
avec tendresse ou d'un ton bourru, s'empressait
de l'aider dans sa gêne imaginaire.

A six heures, il revint à l'étude Frasne comme
les clercs en fermaient les portes.

— J'ai une lettre ou deux à écrire, leur dit-il, je
me charge des verrous.

Il écrivit en effet à ses relations les plus in-
fluentes pour leur demander sans délai une place
d'un bon rapport à Paris. Lauréat de tous les concours, il comptait sur la recommandation de ses
anciens professeurs de droit. Il ne s'était jamais
heurté aux difficultés de l'existence et, confiant
dans sa valeur, il ne doutait point de les vaincre
aisément. Où lui répondrait-on ? Il hésita, puis
donna cette indication : *Milan, poste restante.*

Par ces préparatifs qui occupaient son activité,
il avait réussi à tromper son regret de partir. Il le
retrouva, aigu et poignant, quand il lui fallut une

dernière fois passer le seuil de la maison paternelle. Il s'y glissa furtivement, fut aussitôt signalé,
mais s'enferma dans sa chambre. Marguerite vint
l'y chercher au moment du dîner et le trouva la
tête dans les mains, sous la lampe, si absorbé
qu'il ne l'avait pas entendue frapper. Elle lui prit
les poignets avec affection, et cette caresse le fit
sursauter.

— Maurice, quel chagrin as-tu ?

— Je n'ai rien.

— Je suis ta petite sœur et tu ne veux pas me
confier tes ennuis. Qui sait ? Je ne te serais pas inutile.

Pour expliquer son air de souci qu'il ne pouvait
nier, il invoqua ces prétendus embarras d'argent
qu'il venait de raconter à diverses reprises. La
jeune fille aussitôt l'arrêta.

— Attends une minute.

Elle s'éclipsa et quand elle reparut peu après,
triomphante, elle déposa devant lui un beau billet
bleu de mille francs :

— Est-ce assez ? Père m'en avait donné trois
pareils pour mon trousseau. Il me reste heureusement celui-là.

— Tu es folle, Marguerite. Je n'en veux pas.

— Si, si, prends-le, je suis si contente. Quelques
chemises de moins ne m'appauvriront guère.

Elle riait, et lui, les nerfs tout vibrants, se sentait des larmes au bord des paupières. Par un grand
effort il réussit à se contraindre, et se contenta d'attirer la jeune fille sur son cœur, — sur ce cœur qui
n'appartenait donc pas tout entier à Mme Frasne.

— Aime-moi toujours, murmura-t-il, quoi qu'il
arrive.

Elle leva sur lui des yeux interrogateurs. Mais, retenue par sa propre générosité, elle n'osa pas lui réclamer un secret en échange, et, l'emmenant à la salle à manger, elle lui glissa doucement ces mots comme une prière :

— Sois gentil avec Père, et je t'aimerai plus encore.

Le dîner se passa sans incident, grâce à la présence de Raymond Bercy, qui facilita l'entrevue de M. Roquevillard et de son fils. Dans la soirée, Maurice se retira de bonne heure, sous le prétexte d'une migraine. Il traversa la chambre de sa mère, qui continuait de souffrir. L'âme en détresse, il put embrasser la malade dans l'obscurité. Elle le reconnut à ses lèvres et d'une voix faible elle l'appela par son nom en lui caressant le visage de la main. Il étouffa un sanglot et sortit. L'amour lui ordonnait de telles cruautés.

Il prépara sa valise, qu'il fit légère afin de pouvoir la porter lui-même à la gare, rassembla dans un portefeuille son argent personnel, celui de ses emprunts et celui de Marguerite, en tout un peu plus de cinq mille francs, ce qui, dans son inexpérience de la vie, lui paraissait une somme importante plia les quelques bijoux qui lui appartenaient et dont il pourrait tirer parti, et la toilette de l'exécution étant terminée, il attendit comme un condamné à mort l'heure qui lui livrerait sa bien-aimée. Sa raison, son infaillible raison, le soutenait dans sa décision, et lui représentait la beauté de vivre librement pour son propre compte au lieu de prendre rang, comme le dernier de la classe, dans la chaîne ininterrompue des Roquevillard.

... Rassuré par l'attitude de Maurice et par une demi-confidence de sa fille, M. Roquevillard s'était endormi sans inquiétude immédiate, après s'être décidé toutefois à éloigner son fils de Chambéry. Il s'adresserait à un ancien ami qu'il avait obligé diverses fois et qui, après avoir beaucoup roulé à travers le monde et dévoré son patrimoine, s'était installé à Tunis, comme avocat, y voyait ses affaires prospérer et lui exprimait dans ses lettres le désir de se reposer ou, tout au moins, de trouver une aide. A vingt-quatre ans, un tel voyage, une telle vie, n'était-ce pas, avec la nouveauté, l'oubli, le salut ?

Dans la nuit, il crut entendre ouvrir et fermer une porte. Le silence étant retombé sur la maison, il pensa qu'il s'était trompé et s'efforça de retrouver le sommeil. Après une lutte assez longue, il frotta une allumette, regarda sa montre, qui marquait minuit et demi, se leva et sortit de sa chambre. Au bout du corridor, une raie de lumière filtrait sous la porte de Maurice. Il s'approcha, écouta et, ne percevant aucun bruit, il frappa. Il ne reçut pas de réponse. Après une hésitation, il entra :

— Il aura oublié d'éteindre sa lampe, essayait-il de se persuader, quand l'anxiété le tenaillait déjà.

Il vit d'un coup d'œil le lit intact, un tiroir vide. Il rentra chez lui, s'habilla en hâte et malgré ses soixante années courut comme un jeune homme vers la gare. L'heure de l'express d'Italie devait être passée, mais il restait un dernier train dans la direction de Genève. Un employé qui le connaissait le renseigna. Maurice était parti *avec elle*. Ils avaient pris leurs billets pour Turin.

Seul, il poussa un gémissement comme en ont
les chênes au premier coup de hache. Mais, comme
eux, il était résistant et contre le sort il se raidit.

Une race, une famille, une existence même ne
sont pas compromises, ne peuvent pas être compromises par une faute de jeunesse. Il retrouverait
son fils tôt ou tard, il le ramènerait au foyer, ou
bien ce serait la destinée qui se chargerait de
ramener l'enfant prodigue, et, comme dans la
parabole, il aurait la faiblesse de tuer le veau gras
à son retour, au lieu de lui adresser des reproches.
Le foyer paternel : c'est là qu'on vient panser ses
blessures, là qu'on est certain de ne jamais être
repoussé. Un mari peut abandonner sa femme,
une femme son mari, des enfants ingrats leurs
père et mère : un père et une mère ne peuvent pas
abandonner leur enfant, quand tout l'univers
l'abandonnerait.

La ville était comme morte sous la lune. Le pas
de M. Roquevillard retentissait dans ce désert. De
la rue de Boigne qu'il remontait il vit le château
dresser devant lui ses tours claires, que la perspec-
tive nocturne allongeait. Sur leur façade, un arbre
voisin dessinait l'ombre de ses feuilles. Dans quelques heures, la cité muette retrouverait la vie pour
jeter ses rires insultants sur ce drame de famille.

Quand il ouvrit sa porte, une ombre blanche vint
à lui. C'était Marguerite.

— Père, qu'y a-t-il ?

A défaut de sa femme, il pouvait avec elle partager le poids de l'épreuve. Il l'estima assez pour
ne lui rien cacher.

— Ils sont partis, murmura-t-il brièvement.

— Ah ! soupira-t-elle, ayant compris et se rappe-
lant l'expression douloureuse de son frère.

De nouveau le père et la fille se serrèrent l'un
contre l'autre dans une angoisse commune. Puis,
avec tendresse, il la reconduisit jusqu'à sa chambre
et la quitta sur cette recommandation :

— Laissons dormir ta mère, petite. Elle saura
toujours assez tôt notre peine.

IV

LA VENGEANCE DE MAITRE FRASNE

Une petite valise à la main, engoncé dans son pardessus à cause de la fraîcheur matinale, M. Frasne descendit de l'express de sept heures à la gare de Chambéry, et d'un pas rapide regagna son domicile après deux jours d'absence. A l'air emprunté de la femme de chambre qui lui ouvrit la porte, il comprit immédiatement qu'il s'était passé ou qu'il se passait quelque chose dans sa maison. C'était un homme approchant de la cinquantaine, assez bien conservé, correct, froid et distingué au premier aspect, mais dont les lèvres charnues et surtout les yeux à fleur de tête, à demi dissimulés derrière le lorgnon, causaient bientôt une impression inquiétante.

— Tout va bien ? demanda-t-il malgré son fâcheux pressentiment. Et Madame ?

La servante mit dans sa réponse un imperceptible accent de raillerie :

— Madame est partie hier soir pour l'Italie avec ses malles.

— Pour l'Italie ?

— Oui, monsieur.

— A quelle heure ?

— A minuit.

— Sans explications ?

— Madame m'a dit en s'en allant que Monsieur était prévenu.

— En effet, répliqua M. Frasne avec sang-froid. Vous me porterez à déjeuner dans mon cabinet.

Et sans manifester plus de surprise, il entra dans son cabinet de travail, qui communiquait avec l'étude. A quoi bon interroger cette fille malveillante et évidemment mal renseignée ? La nouvelle inattendue qu'il recevait à bout portant comme un coup de feu ne lui faisait encore aucun mal. Il n'en éprouvait que de l'étonnement. Une blessure, même mortelle, ne se distingue pas tout d'abord d'un simple choc. Il faut quelque temps pour en souffrir. Le regard aiguisé et les nerfs tendus, il remarqua sur la table une lettre fermée qui s'y trouvait placée de façon ostensible et presque agressive. Il la prit en main sans l'ouvrir, cherchant à la deviner. Elle contenait sans doute l'explication de ce départ, — abandon, bravade ou inconséquence ? Après neuf années de mariage, il était si peu sûr de sa femme que toutes les conjectures lui paraissaient également vraisemblables. Devait-il lui chercher un compagnon de fuite ou imaginer le caprice d'une neurasthénique qui ne tarderait pas à rentrer au bercail ? Le nom de Maurice Roquevillard ne s'imposait pas à son esprit. Mme Frasne recherchait les hommages et s'en divertissait : chacun lui faisait une cour anodine. Il pouvait donc ne pas prendre au sérieux la banale amitié qu'elle témoignait à son clerc, bien que par des lettres anonymes il eût appris que la ville s'en préoccupait avant lui. Il partageait le dédain assez commun des

hommes mûrs pour les jeunes gens qui, prenant le
temps pour allié, se contentent volontiers de l'espérance. A mesure qu'on perd sa jeunesse, c'est
toujours son âge ou un âge rapproché du sien que
l'on attribue aux séducteurs. Les sentiments ne
valaient à ses yeux qu'appuyés sur des contingen-
ces, et il savait combien d'adultères de désir les
coalitions morales de la province empêchent de se
réaliser. Puis, comment admettre une hypothèse
aussi déraisonnable que le renoncement volontaire
à une situation confortable et de tout repos ? Il
ne comprenait pas, mais il se trouvait en présence d'un fait, lui qui n'attachait d'importance
qu'aux faits. Irrité de ce mystère que sa clairvoyance n'élucidait pas, il déchira l'enveloppe
et lut :

« Monsieur, je ne vous ai jamais aimé, et vous
le saviez. Qu'est-ce que le cœur d'une femme pour
qui la possède par acte authentique ? J'ai pu subir
neuf ans cet esclavage parce que je n'aimais pas.
Tout est changé aujourd'hui : je me libère loyale-
ment au lieu de me partager. Qui me retiendrait ?
Au début de notre mariage vous redoutiez les
enfants : il eût peut-être suffi d'une petite main
tendue pour m'enchaîner tout à fait, mais notre
maison est vide et personne n'a besoin de moi.
Vous m'avez estimée cent mille francs dans notre
contrat de mariage. Vous trouverez naturel que
j'emporte mon prix. J'ai payé, la première, avec
ma jeunesse. En vous quittant, je vous pardonne.
Adieu.

« Edith DANNEMARIE. »

Pour maître Frasne, soit par coutume professionnelle, soit par tournure d'esprit positif, toutes
les choses de la vie, même les sentiments, se traduisaient en actes et obligations. Notre caractère
gouverne jusqu'à nos agonies : dans ce naufrage
où son existence s'abîmait, il n'était sur le moment
sensible qu'à la perte de sa femme et non à celle
de son argent, bien qu'il n'en fût pas prodigue ;
mais, pour revivre son passé et exaspérer sa douleur, il alla d'instinct exhumer d'un carton son
contrat de mariage auquel la lettre faisait allusion.
Avec le papier timbré, il évoqua plus nettement la
grande passion de son arrière-jeunesse. Il revit, sur
un seuil d'église, une jeune fille svelte et souple dont
les mouvements et les yeux dénonçaient la fièvre
intérieure. C'était à la Tronche, près de Grenoble,
son pays d'enfance. Il y venait en vacances chaque
été, de Paris où il était premier clerc ; il ne pouvait
se résoudre, malgré la quarantaine menaçante, à
quitter définitivement la capitale pour acquérir une
étude en Dauphiné. Informations prises, Edith
Dannemarie habitait avec sa mère, dans le voisinage, une petite maison où les deux femmes
s'étaient retirées presque sans ressources après la
mort du chef de famille, qui s'était ruiné au jeu.
Une jeune fille à la campagne, avec ces yeux-là,
devait être une proie facile. Deux ans de suite, il
tenta de s'en emparer. Elle attendait un prince, car
elle était exaltée, et s'impatientait de l'attendre, la
solitude échauffant son imagination. Ainsi elle le
rebutait, mais pas assez pour l'éloigner sans retour.
Elle découvrait sans études préparatoires l'art de
se promettre en se refusant et le pratiquait aux

dépens d'un homme que des conquêtes dans un
monde trop aisé et des habitudes sensuelles devaient
rendre plus irritable et nerveux devant cette coquetterie. Il dut se reconnaître vaincu : son désir
fut plus fort que son intérêt. Ayant perdu ses parents qui lui transmettaient un bel héritage, il
se décida enfin à demander officiellement la main
qui le repoussait tout en lui montrant la place d'un
anneau de fiançailles.

Comment pouvait-il, à travers les clauses laco-
niques d'un contrat, relever les traces de cet
amour ? Un article concédait à la future épouse, en
considération du mariage, une donation de cent
mille francs ; non pas, comme il est d'usage et
presque de style en pareil cas, une donation sous la
condition de survie du donataire, mais une donation immédiate, comportant une translation de propriété. Cette générosité anormale, c'était la preuve
de sa faiblesse, le témoignage lamentable de sa
défaite. Elle conférait l'authenticité à sa passion.

M. Frasne fut arraché à son examen par la
femme de chambre qui lui apportait son chocolat.
Elle observa son maître du coin de l'œil tout en le
servant, et fut déconcertée de lui voir en main des
papiers d'affaires. Il compulsait un dossier, quand
elle guettait son dépit ou sa fureur pour l'annoncer
à la ville. D'un geste, il la congédia. Il déjeuna
sans appétit, par ordre de sa volonté : n'aurait-il
pas besoin de ses forces intactes, tout à l'heure,
quand il lui faudrait prendre une décision ?

Tandis qu'il avalait de petites gorgées brûlantes,
il achevait de revivre les années mortes. Il les
revivait à son point de vue, incapable, comme

beaucoup d'hommes et comme presque toutes les
femmes, de se représenter celui de son partenaire.
C'était, après bien des hésitations et des délais qui
ne venaient pas de son côté, le mariage à la Tronche,
puis le départ pour Paris. Paris lui révélait une
compagne inconnue qui, de l'isolement et de la monotonie, passait sans transition et sans surprise à la
plus folle agitation. Elle ne le ménageait pas dans
sa maturité, mais il ne respectait pas sa jeunesse.
C'était alors que, dans l'espoir de se reposer en province, il avait acquis à Chambéry l'office de maître
Clairval, à défaut d'une étude vacante à Grenoble.
Mme Frasne s'était pliée avec l'indifférence de ceux
que la vie ne peut plus satisfaire, à un changement
d'existence aussi radical. Elle paraissait accepter
la retraite comme le plaisir, sans élan mais sans
objection. Deux ans s'étaient écoulés ainsi, paisibles
autant qu'ils pouvaient l'être auprès d'une femme
qui, même dans le calme, ne cessait d'inspirer
quelque inquiétude. Et brusquement, quand il la
croyait enlizée dans l'aisance, les bonnes relations et
le trantran journalier, sans crier gare, elle abandonnait le domicile conjugal pour s'enfuir avec un
amant.

Abattu par une catastrophe qui ne le trouvait
pas préparé, le notaire avait remonté machinalement la pente de ses souvenirs que précisait un
acte civil. De nouveau il rencontra l'abîme et, cette
fois, il le mesura mieux. Ce Maurice Roquevillard
qu'il dédaignait en arrivant s'imposait maintenant
à sa fureur jalouse. Edith n'était point partie seule.
Elle était partie avec lui, probablement, sûrement.
En ce moment même, là-bas, très loin, en Italie,

hors d'atteinte, il la pressait sur sa poitrine...
M. Frasne prit son mouchoir, le passa sur ses
yeux, puis le déchira à pleines dents. Il pleurait et
ne se possédait plus. « Il m'aime à sa manière, »
avait-elle dit de lui. Cette manière, qui n'est pas la
plus noble, est la plus fertile en tourments : elle se
heurte à des images définies et cruelles, elle laboure
le cœur, comme une charrue la terre, et met à nu
la haine.

M. Frasne reprit la lettre et le contrat, non plus
pour approfondir sa misère, mais pour y chercher
sa vengeance. Les clercs ne tarderaient pas à envahir l'étude. Il fallait avant leur venue mener son
enquête, forger ses armes. L'argent qu'elle avait
emporté, qu'elle avait volé, — car une donation
entre époux serait dans tous les cas annulée à la
suite du divorce prononcé contre le donataire, —
elle avait dû le prendre dans le coffre-fort. Il avait
récemment encaissé un prix de vente de cent vingt
mille francs, qui devait être versé dans quelques
jours, lors de la passation de l'acte. Par sa propre
indiscrétion, elle avait pu l'apprendre. Une clé se
fabrique ou se dérobe, mais la mystérieuse combinaison de chiffres sans laquelle cette clé ne sert de
rien, comment l'avait-elle découverte ?

Il se leva et s'approcha du coffre-fort, qui ne portait aucune trace d'effraction. Il fouilla sa poche et
prit son trousseau. Alors il s'aperçut que cette clé-
là y manquait. Elle avait dû en être distraite le
jour de son départ. Il la possédait en double, il est
vrai, et avait confié l'autre, selon l'usage, à son
premier clerc pendant son absence. Il attendrait
donc, pour ouvrir et vérifier le contenu du meuble,

l'arrivée du clerc qui, d'ailleurs, servirait de témoin.

Revenant à sa table de travail, il chercha un
code pénal et commença d'en parcourir les para-
graphes au titre des crimes et délits contre la propriété. Il lut à l'article 380 que les soustractions
commises par des maris au préjudice de leurs
femmes, par des femmes au préjudice de leurs
maris ne peuvent donner lieu qu'à des réparations
civiles. Mais la fin du même article, qui le désar-
mait contre l'infidèle, l'armait contre son complice :
« *A l'égard de tous autres individus qui auraient
recélé ou appliqué à leur profit tout ou partie des objets
volés, ils seront punis comme coupables de vol.* » Parti
sur cette piste, il trouva mieux encore. L'article 408, qui traitait de l'abus de confiance, y
voyait une circonstance aggravante lorsqu'il était
commis par un officier public ou ministériel, ou
par un domestique, homme de service à gages,
élève, clerc, commis, ouvrier, compagnon ou ap-
prenti au préjudice de son maître, et la peine devenait alors celle de la réclusion. Qui l'empêchait d'accuser Maurice Roquevillard et même de l'accuser
seul ? N'était-ce pas vraisemblable ? Le jeune
homme connaissait les lieux, les versements opérés à
l'étude, la date des contrats, l'absence du notaire.
Il avait pu surprendre le secret de la serrure, sous-
traire momentanément la clé du premier clerc. Sans
fortune personnelle, il avait dû se procurer des ressources pour enlever sa maîtresse. Enfin, sa fuite
à l'étranger ne le dénonçait-elle pas ? Sans doute
la déclaration de Mme Frasne démentait expres-
sément cette version. Mais la déclaration de

Mme Frasne, inefficace contre elle et gênante contre son amant, il suffisait de la supprimer. Elle détruite, rien n'innocentait plus ce dernier. Et même il perdait tout moyen de défense : pour se défendre, ne devrait-il pas se retourner contre sa compagne, admettre au moins une vie commune aux frais de celle-ci ? Un homme d'honneur ne le pouvait faire. Sa condamnation était donc certaine. L'extradition terminerait sa fuite amoureuse. Il comparaîtrait devant les assises. Flétri, déchu, brisé, il expierait pour les deux coupables. Enfin sa famille, pour atténuer sa faute, restituerait peut-être la somme dérobée. Ainsi le désastre serait sauf au moins de toute perte matérielle. Et la perte matérielle ne semblait déjà plus négligeable à M. Frasne plus réfléchi.

A mesure qu'il explorait dans tous les sens une combinaison aussi fertile en déductions et la conduisait jusqu'au dénouement, il sentait son désespoir s'alléger. Il oubliait sa douleur en apprêtant le supplice du rival. Il envisageait sans pitié les conséquences les plus lointaines de la vengeance, et jusqu'à l'abaissement de ces orgueilleux Roquevillard, qui pourtant avaient accueilli le successeur de maître Clairval en ami. Dans son malheur, il eût jeté sa souffrance comme une malédiction à tout l'univers. Une dernière fois il relut cette lettre qui, seule, mettait obstacle à son projet, puis, résolu, il la jeta au feu et la regarda se tordre sous l'action de la flamme, noircir et se réduire en cendres.

Neuf heures sonnèrent.

Ponctuels, les clercs entrèrent un à un dans l'étude et gagnèrent leurs pupitres. Le patron franchit aussitôt la porte de communication, et, sans les saluer, il interpella le principal d'un ton préoccupé :

— Philippeaux, je ne retrouve pas la clé du coffre-fort.

— Mais la voici, monsieur, répliqua le clerc. Vous me l'avez confiée pendant votre absence. Je ne m'en suis pas servi.

— C'est juste, venez avec moi.

Les deux hommes passèrent dans le cabinet.

M. Frasne ouvrit le meuble et y remarqua tout de suite un certain désordre.

— Vous avez cherché quelque chose, un testament peut-être ?

Philippeaux protesta avec la plus grande énergie :

— Non, monsieur, je vous jure.

— Alors, je ne comprends plus. Tenez : cette enveloppe a été déchirée. Elle contenait le prix d'acquisition de Belvade : cent vingt mille francs. Nous les avons comptés ensemble.

— En effet, convint le clerc effrayé.

Très calme, le notaire ne poussa pas plus loin ses investigations et referma soigneusement le coffre-fort.

— Quelqu'un est entré ici.

— C'est impossible, monsieur.

— Je vous dis que quelqu'un est entré ici. Nous vérifierons le contenu devant le commissaire de police. Qui a fermé l'étude hier soir ?

— Maurice Roquevillard.

— Est-il resté seul ?

— Oui, pour écrire des lettres.

— Combien de temps ?

— Je ne sais pas. Je l'ai rencontré sous les Portiques une demi-heure plus tard. Il m'a rendu les clés.

— Les clés ? Celle du coffre-fort fait partie de votre trousseau ?

— Oui.

— C'est imprudent.

Après un silence, M. Frasne reprit :

— Pourquoi n'est-il pas encore arrivé ?

— Qui ?

— Maurice Roquevillard.

— Il ne reviendra pas, lança le clerc d'une voix vindicative.

M. Frasne le fixa de ses yeux perspicaces. De cet examen, il tira deux conclusions : le bruit de son malheur courait déjà la ville, et Philippeaux, dont il soupçonnait la jalousie, serait un sûr allié. Néanmoins, il joua l'ignorance.

— C'est juste. Il devait retourner chez son père.

— Non, monsieur, il a pris le train hier soir, à minuit.

— Pour quelle destination ?

— L'Italie.

— Ah ! je comprends, avoua cette fois le notaire.

Et lentement il prononça son arrêt :

— Ce serait donc lui qui aurait forcé mon coffre-fort. Comment aurait-il trouvé le chiffre ?

Philippeaux baissa la tête : la peur et l'envie faisaient de lui un délateur.

— Le chiffre est inscrit sur mon agenda, mais sans indication : ma mémoire est mauvaise. Roquevillard a pu le lire, se douter de son emploi.

De nouveau M. Frasne, que servaient les circonstances, dévisagea son clerc et dissimula son contentement :

— Vous êtes deux fois imprudent, Philippeaux. Priez un de vos camarades d'appeler le commissaire de police. Il perquisitionnera lui-même.

Ainsi le meuble fut visité légalement en présence de plusieurs témoins. M. Frasne dressa patiemment son inventaire. Nulle pièce ne manquait et le chiffre de l'encaisse était exact.

— Il reste à vérifier cette grande enveloppe qui a été descellée, dit tranquillement le notaire, qui conduisait l'enquête avec méthode. Elle contenait le prix d'acquisition de Belvade, vingt hectares, cent vingt mille francs en billets de banque, je les ai comptés avant de partir, devant mon premier clerc ici présent qui en témoignera.

— Parfaitement, monsieur.

— Le chiffre est consigné là, tout au long.

Or, l'enveloppe ne renfermait plus que vingt billets.

— On m'a volé cent mille francs, conclut M. Frasne.

— Comment expliquez-vous, objecta le commissaire, que le voleur n'ait pas tout emporté ? D'habitude, ils ne limitent pas volontairement leurs profits.

— Je l'expliquerai au Parquet, où je porte immédiatement ma plainte.

— C'est votre affaire. Vous soupçonnez donc quelqu'un ?

— Oui.

— Vos domestiques ?

— Non. Ils seraient partis. Et d'ailleurs, ils n'auraient pas su découvrir le chiffre.

— Bien. Je vais rédiger mon procès-verbal.

— Accompagnez-moi au Palais. C'est à deux pas.

— Comme vous voudrez.

Ils se rendirent au Parquet directement. Le notaire eut avec le procureur de la République une longue conférence, qui se prolongea après le départ du commissaire de police. Comme il redescendait l'escalier, au bas des marches il croisa M Roquevillard qui venait à la Cour. Il était midi et quart, l'heure d'ouverture de l'audience. Les deux hommes se regardèrent et se saluèrent.

V

LA FAMILLE EN DANGER

Avant l'entrée en séance des conseillers, d'habitude avocats et avoués, dans la salle des pas-perdus, bavardent quelques minutes entre eux. C'est le laminoir où passent les nouvelles de la ville. Mais M. Roquevillard, recherché pour sa belle humeur et redouté pour ses pointes, agrafa sa robe au vestiaire, et gagna directement sa place à la barre. De loin, ses confrères le considéraient avec une curiosité malveillante en s'égayant de l'équipée du jeune Maurice, qu'ils traitaient d'ailleurs avec légèreté et comme une revanche contre la contrainte des mœurs en province. Il paraissait absorbé dans la préparation de sa plaidoirie. Un huissier vint à son banc et lui toucha l'épaule :

— Maître, on vous demande au Parquet.

Il se leva aussitôt avec déférence :

— J'y vais, dit-il.

Il arrive quotidiennement que le Ministère public profite de la présence d'un avocat à l'audience pour le faire appeler au sujet de quelque affaire pénale. M. Roquevillard, néanmoins, n'était pas sans inquiétude : sa rencontre, sur le seuil du Palais, avec M. Frasne, lui inspirait cette réflexion :

— Commettrait-il la folie de déposer une plainte en adultère ?

Légalement, l'adultère demeure un délit. Il appartient au mari seul de le dénoncer, et c'est un privilège dont il use rarement. Mais le visage du notaire était si malaisé à déchiffrer....

Le procureur de la République, M. Vallerois, dirigeait le parquet de Chambéry depuis plusieurs années. Il avait eu le temps d'apprécier la probité professionnelle, le caractère et le talent de l'avocat. On parlait, il est vrai, de la candidature éventuelle de celui-ci aux prochaines élections législatives, et l'opposition au pouvoir trouverait en lui, s'il acceptait, son chef le plus énergique et le plus autorisé. L'accusation de M. Frasne détruisait fatalement ce danger politique. Fonctionnaire ambitieux, M. Vallerois le constatait sans déplaisir quand M. Roquevillard entra dans son cabinet.

Il n'y songea plus lorsqu'il dut lui parler et ce fut son honneur de ne plus voir en face de lui qu'un honnête homme dans l'épreuve. Il lui tendit la main et commença :

— Je dois remplir auprès de vous une mission pénible.

Il s'arrêta et hésita. La force morale de l'avocat se montrait mieux dans les circonstances difficiles. Il sut gré au procureur de sa délicatesse, mais il marcha au but.

— Il s'agit de mon fils.

— Oui.

— D'une instance en divorce où son nom est mêlé ? D'une plainte en adultère ?

— Non, malheureusement.

— Malheureusement ?

Ce mot ne pouvait guère avoir qu'une significa-
tion. D'une voix ferme, mais assourdie, M. Roquevillard demanda :

— S'agirait-il d'un accident ? d'un suicide ?

— Non, non, rassurez-vous, s'écria M. Vallerois,
se rendant compte de l'erreur qu'il avait provoquée.
Il est parti cette nuit avec Mme Frasne : toute la
ville le sait. Mais ce qui est plus grave, c'est que
M. Frasne qui sort d'ici a déposé entre mes mains
une plainte en abus de confiance contre lui.

Malgré sa possession de lui-même, le vieil avocat, le rouge au front, s'indigna :

— Abus de confiance ? Je connais mon fils. C'est
impossible.

Le procureur lui donna lecture de la dénonciation que le notaire avait signée et des constatations
relevées par le commissaire de police. Attentif,
M. Roquevillard l'écouta sans l'interrompre. Ce
pouvait être, c'était l'effondrement de sa famille,
la honte de son nom. Maître de lui, mais frappé au
cœur, il conclut :

— M. Frasne se venge bassement.

— Comme vous je le crois, reprit M. Vallerois,
qui laissa paraître sans détour sa sympathie. Mais
l'argent a disparu : comment arrêter l'action publique ?

— Mon fils n'est pas seul en cause. Quand un
enfant de vingt ans enlève une femme de trente,
lequel des deux prépare et dirige l'expédition ?

— Je l'ai donné à entendre tout à l'heure, à cette
place même, avec insistance. J'ai recommandé

la prudence et réclamé vingt-quatre heures de réflexion. Je me suis heurté à une décision formelle.
La justice va suivre son cours. Je suis obligé de
commettre le juge d'instruction.

Rassemblant son courage devant ce coup du
sort, M. Roquevillard se taisait, tandis que le chef
du parquet tournait et retournait l'insoluble pro-
blème :

— Il y a contre lui des présomptions graves, précises, concordantes : d'abord les facilités de sa situation à l'étude, puis sa présence hier soir, avec les
clés, après le départ des autres clercs, son manque
de ressources pour entreprendre son audacieux
enlèvement, et jusqu'au souci d'arrêter lui-même le
chiffre de son vol, comme on fixe la quotité d'un
emprunt qu'on restituera.

— Il y a pour lui d'autres présomptions, répliqua
fièrement le père. D'abord sa famille. On ne ment
pas à toute une lignée de braves gens. Et qui
vous dit qu'il est parti sans ressources ? Quand son
argent à lui sera épuisé, il reviendra, j'en réponds.

Leur entretien fut interrompu par un huissier
qui venait chercher l'avocat dont la Cour attendait
la plaidoirie.

— Je vous suis, dit M. Roquevillard en le con-
gédiant d'un geste.

— Mais s'il est arrêté, comment se défendra-t-il ?
reprit M. Vallerois. Comprenez bien que son cas
est mauvais. Les preuves s'accumulent contre lui.
Et dans l'hypothèse la plus favorable, pour se dis-
culper, il faudra qu'il accuse. Le voudra-t-il ? Et il
passera toujours pour complice. Dans tous les cas,
si vous connaissez le lieu de sa résidence, conseil-

lez-lui d'attendre, avant de rentrer en France. Je
réclamerai mollement l'extradition.

M. Roquevillard secoua la tête avec énergie.

— Non, non. Fuir, c'est avouer. Il faut qu'il
revienne. Je trouverai des preuves d'innocence...

Et après un instant de réflexion où il pesa le
pour et le contre, il ajouta :

— Puisque notre malheur vous touche, monsieur
le procureur, m'autorisez-vous à vous demander un
service, un grand service qui peut encore nous sauver ?

— Lequel ?

— Proposez à maître Frasne de retirer sa plainte
contre le paiement intégral de cent mille francs.

— Vous les restitueriez ?

— Je les paierais.

— Et si votre fils n'est pas coupable ?

— Il est dans une impasse, vous l'avez dit. Notre
honneur vaut davantage. Même des poursuites
l'éclabousseraient.

— Maître Frasne passe pour intéressé. Sa plainte
n'est peut-être pour lui qu'un moyen de rentrer
dans ses fonds. Essayez de la moitié.

— Non, pas de marchandage. Le paiement
contre le retrait.

Par un souci de tranquillité et de bienséance, le
magistrat ébranlé se retrancha derrière des scrupules professionnels.

— Vous avez raison. J'ai le désir de vous obli-
ger, maître. Et je l'ai plus encore devant votre
sacrifice. Mais convient-il à mon caractère de tenter une démarche aussi anormale ?

M. Roquevillard mit un peu d'émotion dans sa
réponse.

— Elle est anormale, c'est vrai. Mais le temps presse. Je plaide à la Cour. Tout à l'heure la plainte sera ébruitée. Vous seul la connaissez et pouvez la suspendre encore, l'anéantir. Je vous en supplie.

— C'est impossible : je ne puis me rendre chez un plaignant.

— Vous pouvez le faire venir au parquet.

— Soit, dit M. Vallerois. Le moyen est cher, mais sûrement efficace. Je présenterai la proposition en mon nom, afin que si par hasard j'échoue, vous ne soyez pas engagé par une offre qui paraîtrait une acceptation du vol.

— Merci.

Ils se séparèrent. L'avocat rentra dans la salle d'audience où les conseillers s'impatientaient, et commença de plaider avec sa lucidité accoutumée. Devant l'ordre serré de son argumentation, nul ne soupçonna l'angoisse qui le torturait. Mais quand il s'assit, le vieux lutteur, qui n'était jamais las, sentit une fatigue extrême, lourde comme le poids inconnu de la vieillesse.

Après la plaidoirie adverse et une courte réplique, il reprit enfin sa liberté. Il regarda sa montre : elle marquait trois heures et demie. Pendant ces trois heures d'intervalle, le sort de son fils s'était décidé. Il remonta au Parquet où l'attendait M. Vallerois, et comprit immédiatement que le magistrat avait échoué.

— M. Frasne est revenu, expliqua celui-ci. Vous aviez raison : il se venge.

— Il refuse ?

— Catégoriquement. Il préfère sa haine à son argent. En vain, j'ai pesé sur lui de toutes mes

forces, invoqué le scandale qui rejaillirait sur sa
femme, parlé même du manque de preuves. Il m'a
répondu que, si je ne mettais pas en mouvement
l'action publique, il se constituerait partie civile
devant le juge d'instruction. C'est son droit, et sa
résolution est inébranlable.

— Et si je tentais, moi, de le fléchir ? Nous étions
en bonnes relations.

— Cette visite serait inutile, pénible et même
compromettante. Je ne vous y engage point. Je lui
ai parlé de votre famille, de vous. Il m'a répliqué :
« Son fils m'a arraché le cœur. Tant pis si les innocents paient pour les coupables. »

M. Roquevillard réfléchit un instant, s'inclina
devant le conseil du procureur, il lui tendit la main :

— Il me reste à vous remercier. Vous m'avez
traité en ami, je ne l'oublierai pas.

— Je vous plains, répondit M. Vallerois touché.

Sa serviette sous le bras, l'avocat regagna sa
maison. Il se hâtait de son pas toujours jeune,
portant haut la tête selon son habitude, mais le
visage très pâle. Sous les Portiques, asile des flâ-
neurs, il croisa des amis qui se détournèrent,
tandis que les passants le dévisageaient avec insistance, avec raillerie. Il comprit que les clercs de
l'étude Frasne colportaient déjà à travers la ville
la honte des Roquevillard. Les Roquevillard :
c'était, depuis des siècles, la première défaillance
de la race. Fallait-il qu'elle fût guettée pour qu'on
la répandît avec cette rancune ! Et que de basse
envie soulevait donc l'orgueil d'un nom ! La faiblesse d'un descendant détruisait tout un passé
d'énergie et d'honneur qui avait fourni depuis tant

d'années des exemples virils. Et ceux qui s'en
réjouissaient ne comprenaient-ils point que cet
écroulement les atteignait ?...

Il se redressa et ralentit sa marche. Personne
ne supporta son regard. Se raidissant dans le
mépris, il songeait, tandis qu'il faisait face à
l'orage : « Chiens, aboyez à distance. Mais n'ap-
prochez pas. Tant que je serai vivant, je protége-
rai les miens, je les couvrirai de ma force. Et vous
ne me verrez pas souffrir. »

Devant sa porte, il fut abordé par M. de la Mortellerie, son voisin de campagne. Devrait-il subir
déjà des condoléances et des sympathies ? Encore
ce maniaque, en le recherchant, se montrait-il le
plus humain. Le vieux gentilhomme lui montra le
château que baignait la lumière du soir.

— A la réception de l'empereur Sigismond, en
1416, lui confia-t-il mystérieusement, le duc
Amédée VIII donna dans la grande salle un ban-
quet dressé par Jean de Belleville, l'inventeur du
gâteau de Savoie. Les viandes étaient dorées,
chargées d'ornements et de banderoles aux armes
des convives, et chacun recevait les mets qui lui
étaient destinés en portion simple, double ou triple
suivant son rang. J'aime cette distinction : il faut
manger, non pas selon son appétit, mais selon son
importance.

— Une portion m'eût suffi, répliqua M. Roquevillard en abandonnant le fâcheux.

Il ne pouvait, lui, tromper le présent avec les
souvenirs du passé. Il disparut sous la voûte,
monta l'escalier, et gagna son cabinet en évitant
la chambre de sa femme toujours alitée. Mais

celle-ci, l'ayant entendu, le fit appeler dans l'espoir qu'il lui donnerait des nouvelles' de leur fils. Il la trouva seule, assise sur son lit, dans l'ombre du jour qui tombait.

— Marguerite est sortie, murmura-t-elle, et, osant à peine formuler cette demande, elle ajouta :
— Tu ne sais rien de Maurice ?

— Non, rien. De longtemps, sans doute, nous ne saurons rien.

— Comme ta voix est dure, François ! reprit la malade. Cette femme l'a ensorcelé, comprends-tu, le pauvre enfant.

— La faiblesse est une façon d'être coupable.

Frappée de cet accent rigide, elle tourna le bouton de la lumière électrique, et vit son mari comme atteint d'une vieillesse subite, si pâle et les yeux si creusés qu'elle pressentit le danger.

— François, supplia-t elle, il y a autre chose que tu me caches. Ne suis-je plus comme autrefois ta compagne pour qui tu n'avais pas de secrets ?

Il s'avança vers le lit :
— Mais non, chère femme, il n'y a rien de plus. La désertion de notre fils, n'est-ce pas assez ?

Redressée et les bras tendus, elle reprit sa supplication.

— Je lis dans ton regard une menace terrible qui pèse sur nous. Ne m'épargne pas comme la nuit dernière. Parle : j'aurai du courage.

— Tu t'exaltes sans cause ; il n'y a rien.

— Je te jure que j'aurai du courage. Tu ne me crois pas ?

— Valentine, calme-toi.

— Attends, tu vas me croire.

Et joignant les mains, la vieille femme que la maladie accablait invoqua à voix haute la force de Dieu. Dans le visage exsangue et émacié, sans reflet de vie, les yeux brillaient d'une ardente flamme.

— Valentine, dit-il doucement.

Elle se tourna vers lui comme transfigurée :

— Maintenant, dit-elle, maintenant, parle. Je puis tout entendre. Est-il mort ?

— Oh ! non !

Elle avait eu le même cri que lui. Subjugué par cette foi qui animait sa femme, il lui confia la redoutable accusation qui les atteignait dans leur chair. Avec indignation, elle la repoussa.

— Ce n'est pas vrai. Notre fils n'est pas un voleur.

— Non. Mais pour tout le monde il le sera.

— Qu'importe, s'il ne l'est pas en réalité. Et cela, je le sais, j'en suis sûre.

Mais d'un geste coupant, M. Roquevillard résuma le désastre :

— Il nous déshonore.

C'était le crime contre la race que, chef de famille, il jugeait, tandis que la chrétienne songeait à la conscience.

— Dieu, déclara-t-elle avec solennité, ne nous abandonnera pas.

Comme elle prononçait cet unique mot d'espoir Marguerite entra, bouleversée et luttant contre son trouble. Elle regarda son père et sa mère, les vit unis dans la même douleur, et, comme un torrent qui renverse un barrage, elle brisa la contrainte qu'elle s'imposait et se livra à ses sanglots.

Mme Roquevillard l'attira sur son cœur :

— Viens vers moi

— Qui t'a fait du mal ? lui demanda son père.

Avec une surexcitation fébrile, elle domina sa détresse :

— On nous insulte.

— Qui ?

— Je viens de chez Mme Bercy. Raymond était là. Elle m'a dit : « Vous avez un joli frère. » C'était mal de sa part. Moi je baissais la tête. Elle a repris : « Vous savez ce que racontent les clercs de l'étude Frasne ? » Je me taisais toujours. « Ils racontent que votre frère ne s'est pas contenté de la femme. » — « Maman ! » a crié Raymond faiblement. Moi, j'étais déjà debout. « Achevez, madame, vous le devez. » Elle a osé achever : « Il a emporté la caisse. » Alors j'ai dit : « Je vous défends d'insulter mon frère. » Et à mon fiancé, j'ai ajouté : « Vous, monsieur, qui ne savez pas me protéger chez vous, je vous rends votre parole. » Il a voulu me retenir, mais je n'ai plus rien écouté, et me voilà.

— Chère petite ! murmura sa mère en l'embrassant.

— Ah ! se récria M Roquevillard redressé sur les têtes jointes de sa femme et de sa fille, on condamnera donc toujours sans entendre.

Mais déjà Marguerite oubliait son malheur personnel pour le malheur commun. Elle se releva et vint à son père qu'elle fixa dans les yeux :

— Vous en qui j'ai confiance, répondez-moi : ce n'est pas vrai, n'est-ce pas ?

— C'est faux ! assura la malade.

— Je l'espère, dit le chef de famille Mais toutes

les apparences sont contre lui, et il risque d'être
condamné.

— Condamné ?

— Oui, condamné, répéta l'avocat, et nous tous
avec lui qui portons le même nom, venons du
même passé et marchons vers le même avenir.

D'un geste, il parut protéger les deux femmes
en larmes et menacer le déserteur :

— Un instant de faiblesse suffit à briser l'effort
de tant de générations solidaires. Ah ! que là-bas,
dans sa fuite honteuse *il* mesure l'étendue de sa
trahison : les fiançailles de sa sœur rompues, l'avenir de son frère atteint, la santé de sa mère ébranlée,
notre fortune compromise, notre nom taché et notre
honneur sali ! Voilà son œuvre. Et cela s'appelle
l'amour ! Qu'importe qu'il n'ait pas dérobé une
somme d'argent ? A nous, il nous a tout volé. Aujourd'hui que nous reste-t-il ?

— Vous, s'écria Marguerite. Vous le sauverez.

— Dieu, dit Mme Roquevillard qui retrouvait
dans le malheur une étrange sérénité. Ayez confiance : les mérites d'une race ne sont jamais perdus.
Ils rachètent les fautes des coupables...

DEUXIÈME PARTIE

I

LE FABRICANT DE RUINES

De tous les lacs de Lombardie, le moins visité est celui d'Orta. Il se perd dans la réputation du lac Majeur comme une barque dans le sillage d'un bateau.

Du train qui le longe, le voyageur se contente de le regarder négligemment sans daigner s'arrêter. Il aperçoit les lignes précises des montagnes boisées qui l'enserrent, et les creux de vallons où de blancs villages se dissimulent à demi comme des troupeaux dans l'herbe. Il emporte en hâte la vision d'une colline plantée d'arbres qui s'avance en promontoire sur les eaux, d'une ville éparpillée sur la rive, d'une île toute bâtie, et dans sa fuite rapide il pense avoir cueilli le sourire délicat de ce paysage qui se réserve et qui résume le charme de la nature lombarde : un mélange d'âpreté et de grâce. La grève du lac s'arrondit avec mollesse, mais les contours de l'horizon sont nets, accentués, non point fondus et vaporeux comme ils le sont en Suisse et en Savoie sous un ciel plus pâle. Le soir, ils apparaissent foncés sur un fond clair. Les on-

dulations des collines presque symétriques repro-
duisent les mêmes formes en les exagérant à mesure qu'on regarde vers le nord, de sorte qu'on
devine à les mesurer par quelles adroites transitions la plaine de Novare aboutit à la muraille for-
midable des Alpes.

Orta Novarese n'est pas encore aménagée pour
recevoir des hôtes. De là son heureux abandon. Un
seul hôtel, au penchant du Mont Sacré, — Orta est
couronnée d'un monticule où vingt chapelles dissé-
minées dans les arbres illustrent la vie et les mi-
racles de saint François d'Assise, — l'hôtel du Belvédère reçoit, du printemps à l'entrée de l'hiver, des
pensionnaires en petit nombre. Mais on découvre
sans cesse dans la verdure, le long de la côte, des
maisons de campagne où l'aristocratie de la province vient goûter le repos. Les grilles n'en sont
pas fermées. Bien entretenus, leurs jardins répan-
dent un parfum de fleurs que l'on respire avec
délices, au lieu des relents de tables d'hôte qui
empoisonnent le séjour de Pallanza ou de Baveno...

Fuyant les grandes villes où ils avaient passé la
mauvaise saison, Mme Frasne et Maurice Roquevillard s'étaient installés au mois de mai à l'hôtel
du Belvédère. Retenus par lassitude du changement et aussi par la modicité du prix, ils s'y trouvaient encore à la fin d'octobre. Un automne exceptionnel succédait à l'été presque sournoisement,
et sans la brièveté des jours, un peu de fraîcheur
dans l'air, et l'or craintif qui teintait les feuillages,
le soleil eût inspiré une confiance illimitée.

Ce matin-là, dans le salon attenant à leur chambre, le jeune homme s'occupait à traduire un petit

livre italien, *Vita dei SS. Jiulio e Giuliano*, histoire
des deux apôtres qui, de la mer Egée, vinrent au
quatrième siècle évangéliser Orta. Un passage tiré
de Lamartine et laissé dans son texte français le
retint plus longtemps que la phrase la plus obscure.
Rêveur, il tourna la tête du côté de la fenêtre. Ses
yeux dédaignèrent le bouquet d'arbres qui termi-
nait la presqu'île au-dessous de lui, l'eau transpa-
rente et calme, la petite île, jadis lieu d'enchante-
ments, que le poétique auteur de la biographie com-
pare à un camélia sur un plat d'argent. Spontané-
ment ils cherchèrent le faîte des montagnes qui bar-
rent l'horizon, comme s'ils les voulaient franchir
pour voir au delà. Pendant qu'il était ainsi absorbé,
une forme blanche se glissa dans la pièce et se pencha par-dessus son épaule sur le volume ouvert.
Entre les phrases étrangères, la phrase française se
détachait en caractères italiques : *La prédestination
de l'enfant*, disait Lamartine, *c'est la maison où il est
né : son âme se compose surtout des impressions qu'il
y a reçues. Le regard des yeux de notre mère est une
partie de notre âme qui pénètre en nous par nos propres yeux.*

Mme Frasne doucement ferma le livre, et son
amant qui ne l'avait pas entendu venir tressaillit
à ce geste. Ils échangèrent un regard plein de ces
choses que des amants n'osent pas dire et à peine
penser.

— Quel jour du mois sommes-nous ? demanda-
t-elle avec indifférence.

Rassuré, il répondit :

— Le vingt-cinq octobre.

Tout de suite, elle l'inquiéta de nouveau :

— Il y a un an, te souviens-tu, nous avions rendez-vous au Calvaire de Lémenc. Là, nous nous sommes décidés à fuir ensemble. Il n'y a qu'un an, et déjà mon amour ne te suffit plus.

— Edith !

— Non, il ne te suffit plus.

Et avec un sourire triste, elle ajouta simplement :

— Vois, tu travailles.

— Edith, ne faut-il pas songer à l'avenir ?

— Non, il n'y faut pas songer encore. Que nous manque-t-il ?

Il prit ombrage de sa question :

— Mes ressources sont épuisées. Notre fortune présente vient de toi, je ne puis l'oublier.

— Mais tout est commun entre nous. Ne suis-je pas ta femme ?

Il fronça les sourcils d'un air volontaire :

— Je désire que ta dot demeure intacte. J'ai demandé à l'un de mes amis, qui est publiciste à Paris, de me chercher une situation dans la presse. Ne pourrais-je y rédiger une revue des journaux étrangers ? Au collège j'ai appris l'anglais, plus tard l'allemand pour ma thèse de doctorat. Et je parle déjà l'italien. Cette collaboration et un contentieux, ce serait de quoi vivre.

Elle l'écouta avec un sourire ambigu et de ce geste d'adoration qui lui était familier elle lui caressa le visage de la main.

— Demain nous parlerons de l'avenir. Demain, pas aujourd'hui.

— Pourquoi attendre un jour ? Fixons tout de suite, au contraire, la date de notre départ.

— De notre départ ?

— Oui, pour Paris.

Elle ne sut pas dissimuler son mécontentement :

— Toujours Paris. Tu m'en parles sans cesse.
Tu en es obsédé.

— C'est là que je puis gagner mon pain, répondit-il avec mélancolie.

Souple et câline, elle se coula entre ses bras,
chercha ses lèvres rouges sous la moustache et lui
murmura de tout près :

— Je t'avais demandé un an de ta vie. Un an à
vivre sans passé ni avenir, à respirer jour par jour
notre tendresse, à oublier pour moi le reste du
monde. T'en souviens-tu ?

— Ne te l'ai-je pas donné, et bien plus encore ?

— Il me manque un jour : c'est demain notre
anniversaire.

Avec émotion, il répéta :

— Demain, Edith.

Toute frémissante de ses souvenirs, elle se redressa :

— Ce jour qui nous reste, ne le gâte pas. Puisqu'il est le dernier, qu'il soit le plus beau de notre
année qui s'est écoulée goutte à goutte. Ne parlons
plus de l'avenir avant demain. Me le promets-tu ?

Il sourit de tant d'exaltation :

— Je veux bien.

— Alors, je vais m'habiller. Ce sera vite fait. Et
nous sortirons. Nous déjeunerons dans l'île.

Elle disparut, et pendant son absence, il voulut
reprendre ses exercices de traduction. Mais de nouveau il commença la phrase française : *La prédestination de l'enfant, c'est la maison où il est né...*
Et il s'arrêta de nouveau.

Edith avait raison. Le présent ne lui suffisait plus, ne lui avait jamais suffi. De connivence tous deux venaient d'écarter l'avenir, mais le passé, dont ils n'avaient point osé parler, leurs regards y plongeaient quand leurs bouches demeuraient muettes. Le silence, pour lui, devenait un supplice. Par delà ces montagnes rapprochées, que faisaient-*ils* à cette heure, ceux dont il n'avait pas de nouvelles ?

Edith reparut sur le seuil, et implora son approbation :

— Me trouves-tu jolie ce matin ?

Elle portait une robe d'été en alpaga blanc qui dessinait, sans la serrer, sa taille flexible, et un chapeau surmonté d'ailes blanches qui achevait de donner à toute sa personne une grâce légère et élancée. Cette année l'avait rajeunie. Ses yeux de feu ne pouvaient jeter plus d'éclat qu'autrefois, mais ses joues étaient plus rondes et moins pâles. Son corps mince avait pris une apparence de poids. Et sur toute sa personne était répandue une expression indéfinissable d'amour comblé.

Il l'admira et ne lui adressa pas le compliment qu'elle attendait.

Ils descendirent vers le port d'Orta par un chemin en pente raide, aux pavés ronds, si peu fréquenté que l'herbe y croît entre les pierres. Sur la place, devant la grève où les barques sont amarrées, ils croisèrent une jeune fille coiffée d'un béret rouge qu'ils avaient déjà rencontrée plusieurs fois dans leurs promenades et qui devait habiter les environs. L'étrangère les dévisagea sans timidité, surtout Maurice.

— Elle est gentille, constata le jeune homme après l'avoir dépassée.

Sa compagne eut une moue de tristesse qui pour un instant lui restitua son âge :

— Ne la regarde pas. Je suis jalouse.

Il la plaisanta sur cet excès de sévérité :

— Jalouse ? Et moi ne puis-je l'être ?

— De qui, grand Dieu ?

— Mais de cet Italien noir et moustachu de l'hôtel qui, pendant les repas, oublie sa maîtresse pour couler vers toi ses œillades indiscrètes.

Elle éclata de rire :

— Lorenzo !

— Tu sais son nom ?

— Il me l'a dit. Il m'a fait, en roulant ses yeux blancs, une déclaration qui m'a beaucoup amusée.

Il s'efforça d'en rire à son tour. Mais quand ils furent installés dans leur canot, et qu'après deux ou trois coups de rames ils se furent éloignés du bord, ils éprouvèrent la même impression de malaise. Ce présent qu'ils ménageaient avec tant d'art, dont ils écartaient les souvenirs et les conséquences pour en extraire toute la force, voici que le plus petit incident l'atteignait. Quelles murailles fallait-il construire à l'amour pour le mettre à l'abri du monde, ne fût-ce qu'une année ? Cet amour, à quoi ils avaient tout sacrifié, était pressé de toutes parts par la vie et jusque par les mou ements de leurs cœurs, comme cette île devant eux était baignée des eaux.

La première, elle eut conscience de leur misère. Elle se leva de la banquette et se rapprocha de

4

lui. Au lieu de la comprendre, il lui raconta la
légende de saint Jules dont ils ne se souciaient ni
l'un ni l'autre :

— Cette île, autrefois, était un repaire de ser-
pents. Lorsque saint Jules voulut s'y rendre d'Orta,
les pêcheurs refusèrent tous de lui prêter leurs barques. Alors il étendit sur l'eau son manteau et se
servit de son bâton comme d'une rame.

Dépitée, elle murmura :

— Comme tu es savant !

— Je viens de lire ce miracle.

— Je déteste ton livre.

Il devina pourquoi elle le détestait. Dans ce dernier jour de leur première année amoureuse qui
devait en résumer la douceur, tout les blessait,
tout leur devenait douloureux, et jusqu'aux paroles les plus innocentes.

Ils abordèrent au pied d'un escalier qui descend
à la rive, et attachèrent leur canot à un cercle de
fer fixé dans la grève pour cet usage. Ils entrèrent
dans la vieille basilique romane qui renferme des
fresques byzantines, récemment découvertes sous
un épais crépi, une chaire de marbre noir, un sar-
cophage et des fresques de Ferrari et de Luino.
Pour l'avoir entrevue d'autres fois, ils la visitèrent
sans plaisir : il faut aux amants des spectacles
toujours neufs, tant ils redoutent les sensations
émoussées, par la crainte instinctive d'une autre
lassitude. Ils préférèrent s'engager dans une ruelle
étroite qu'ils ne connaissaient pas. Tout le sommet
de l'île en pente est occupé par les bâtiments d'un
séminaire qui ressemble à une forteresse. Après
un tournant, leur ruelle aboutit à une porte fermée.

Ainsi arrêtés, ils se trouvèrent face à face dans le plus complet isolement : entre de hauts murs dans une île. Pour eux, il n'y avait effectivement plus qu'eux au monde. N'est-ce pas le désir de tous les amants ? L'année précédente, ils eussent souhaité pour le reste de leurs jours une telle solitude. D'un commun accord, ils s'enfuirent vers le rivage.

Un vieillard pêchait à la ligne en plein soleil. Sous un saule qui bordait la grève, deux enfants, pieds nus, faisaient des ricochets. Le long de la côte, des maisons de campagne apparaissaient entre les branches que dégarnissait lentement l'automne, et Orta toute blanche se reflétait dans le lac immobile. Ce spectacle de vie calme, dans le repos de midi, leur fut un soulagement.

Ils déjeunèrent sur les marches de l'escalier qui conduit à la basilique. Et après avoir erré sur l'eau une partie de l'après-midi, en quête d'un site ignoré qui raviverait leurs sensations, ils regagnèrent le port. Débarqués, ils cherchèrent l'emploi de leur temps.

— Rentrons-nous à l'hôtel ? lui demanda-t-il sur la petite place.

Mais elle protesta contre ce projet de claustration :

— Oh ! non. Le soleil est loin encore de la montagne. Revenons par la grande route, sans nous presser.

La route, après avoir traversé la ville dépourvue de trottoirs, suit le lac tout en s'élevant peu à peu de niveau et contourne le Mont Sacré qui, de ses arbres et de ses chapelles, domine la presqu'île. Elle longe des grilles ou des murs de villas, dont l'entrée est ornée de palmiers et d'orangers. Devant l'une de ces villas, toute modeste et même délabrée, qu'ils aperçurent au bout d'une courte avenue par le portail ouvert, Edith respira une odeur de roses :

— Attends, dit-elle à son amant. Elles ont tant de parfum, et ce sont les dernières.

— Entrons. J'en demanderai quelques-unes pour toi.

Ils entrèrent ensemble, et ce fut pour trouver dans le jardin intérieur un assemblage étrange : des stèles tronquées, des tourelles de stuc démantelées à demi, des portiques inachevés, toute la dévastation d'une cité d'art en miniature, mais une dévastation régulière, organisée en motifs de décoration. Au milieu de ces pierres symétriquement groupées qui, toutes, symbolisaient avec une grâce factice les injures du temps, un petit Amour de marbre, que cernaient des rosiers, se dressait sur un piédestal, le sourire aux lèvres et bandant son arc.

La jeune femme ne vit que l'Amour parmi les roses :

— Il est charmant, et le jour le caresse.

— C'est bizarre, observait Maurice : nous devons être chez quelque amateur de monuments funéraires. En Italie, on ne redoute pas l'accumulation.

Un homme déjà âgé, revêtu d'une blouse blanche, le ciseau du sculpteur à la main, s'avança à leur rencontre et les salua d'un geste un peu trop solennel, mélange d'obséquiosité et de noblesse. Il s'entretint en langue italienne avec le jeune homme pendant qu'Edith autorisée cueillait des fleurs.

Elles les rejoignit avec une gerbe dans les mains :

— Voici mon bouquet. Mais je vous offrirai une rose à chacun.

Le propriétaire dépouillé se confondit en remerciements et formules de reconnaissance qu'elle ne comprit pas. Maurice le présenta :

— M. Antonio Siccardi. Monsieur est fabricant de ruines artificielles. C'est un beau métier.

Edith leva sur son amant des yeux interrogateurs.

— Je t'expliquerai, ajouta-t-il.

Quand ils se retrouvèrent sur la route après avoir pris congé de leur hôte d'un instant, elle s'amusa de cette profession peu connue, et répéta sur un ton de badinage :

— Fabricant de ruines artificielles ?

— Mais oui, pour l'ornement des parcs. Dans les bosquets, à côté d'un banc, cela fait très bien, une colonne brisée, un arceau abandonné, ou quelque savante rocaille. J'ai connu au quartier latin un brave homme qui fabriquait des toiles d'araignées pour les vieilles bouteilles qu'on achète le soir même, les jours de grands dîners.

— Et gagne-t-il beaucoup d'argent avec sa fabrique ?

— Beaucoup.

— Ce n'est pas possible.

— Il me racontait justement que tous les nouveaux riches — et ils sont nombreux — parvenus de la finance ou du négoce, raffolent de son art. Ils bâtissent des maisons neuves, eux-mêmes sortent de terre, mais pour la beauté il leur faut des ruines.

— Bien. Mais l'Amour ? Pourquoi l'Amour au

milieu de ces affreux débris ? Les roses lui suffisent.

— Aussi l'ai-je demandé au bonhomme.

— Et qu'a-t-il répondu ?

— « Il se plaît dans les ruines » m'a-t-il assuré avec un sourire mystérieux, le sourire de la Joconde que prennent volontiers les marchands.

— Oui, c'est drôle, conclut-elle. Avec leurs groupes de marbre en toilette de ville, les Italiens font de leurs cimetières des salons de modes et il choisissent des signes de mort pour l'agrément de leurs jardins...

Lentement ils gravirent le Mont Sacré qui s'élève d'une centaine de mètres au-dessus de la ville. Quand ils parvinrent au sommet, ils y trouvèrent le soir qui ajoutait une douceur secrète au grand bois de sapins, de mélèzes, de châtaigniers et de pins parasols où s'abritent de-ci de-là, sur un sol accidenté, les vingt sanctuaires de saint François d'Assise. Ces petites chapelles, édifiées entre le seizième et le dix-huitième siècle, sont toutes d'architecture différente, rondes ou carrées, avec ou sans péristyle, gothiques ou romanes, le plus souvent byzantines. Chacune d'elles renferme, en place d'autel, une scène de la vie du saint, représentée par des personnages en terre cuite, de grandeur naturelle. C'est un Oberammergau immobile. Un art candide a présidé à l'installation du pèlerinage. Ainsi les stigmates du saint lui sont données par le moyen de fils qui joignent ses mains au plafond où des rayons d'or laissent deviner la présence de Dieu.

Depuis leur installation à Orta, Edith et Maurice ne passaient pas de jours sans venir au Mont Sacré.

De l'hôtel du Belvédère on y accède en quelques pas. Entre toutes les chapelles, ils avaient élu la quinzième dont une tradition attribue le dessin à Michel-Ange. Elle est de forme cylindrique, avec une coupole et un pourtour supporté par de grêles colonnettes de granit. Elle leur rappelait ce Calvaire de Lémenc où leur départ s'était décidé. Les arceaux de ses voûtes légères, le long de la galerie surélevée de quelques marches, encadraient successivement toutes les perspectives du bois : tantôt d'autres chapelles dans la verdure, tantôt la margelle d'un puits, et tantôt, entre les branches, un pan du ciel, un coin du lac, ou l'île Saint-Jules comparable, avec son campanile à l'avant, à quelque grand cuirassé échoué dans ce lac minuscule.

Ils se dirigèrent tout naturellement vers leur chapelle dont ils gravirent les marches. Les fûts des pins rapprochés d'eux se profilaient en noir sur le fond rougissant, et de-ci de-là, un des sanctuaires blancs se détachait sous les arbres comme une maison amie.

Elle tenait ses roses d'une main. De l'autre elle cherchait l'épaule de son amant.

— C'était un beau soir comme ce soir, soupira-t-elle.

— Quand ?

— Il y a un an. Tu ne regrettes rien ?

Il détourna les yeux :

— Non.

— Tu ne regretteras jamais rien ?

Ainsi pressé, il répondit presque durement :

— Non, jamais.

Elle se pencha davantage pour atteindre ses

lèvres, et vit dans ses yeux un regard lointain qui
l'effraya. Ce qui les avait séparés tout le jour —
tout ce dernier jour de leur année de tendresse —
lui apparut avec évidence. Elle dit enfin ce que la
prudence lui commandait de ne pas dire :

— Maurice, où est Chambéry ?

— Là-bas.

Il avait répondu si vite et d'un geste si sûr
qu'elle en fut bouleversée. Il s'orientait donc souvent dans le ciel vers cette direction ; dans son
amour il n'avait rien oublié. Des larmes jaillirent
des yeux de la jeune femme. Il n'en demanda pas
la cause, mais tâcha de la consoler avec des caresses :

— Edith, je t'aime tant.

Elle fit une moue désabusée :

— Plus que tout ?

— Plus que tout.

— Jusqu'à la mort ?

— Oui.

— Pas davantage ?

— C'est impossible.

Avec une ardeur insatiable elle jeta comme un
cri :

— Mais je ne veux pas mourir, je veux vivre.
M'aimeras-tu autant demain ?

— Pourquoi demain ?

— Parce que j'ai peur. Ne vois-tu pas que nous
ne pouvons plus continuer de vivre ainsi ?

— Ah ! tu l'avoues ! Non, nous ne le pouvons
plus. L'avenir, le passé, le monde, nous ne pouvons pas les supprimer. Chaque jour tu repoussais
les explications.

— Tais-toi, Maurice. Tais-toi.

Elle le bâillonna de sa main et de nouveau elle le supplia :

— Demain, demain, je te promets. Je t'obéirai. Tu décideras de notre sort. Mais pas ce soir. Ce dernier soir est à moi.

Et sa bouche vint prendre la place de sa main.

Le jour décroissait rapidement. Entre les arbres, les traînées rouges qui bordaient la montagne s'affaiblissaient et les eaux du lac prenaient une teinte uniforme et grise, à peine traversée et animée çà et là par un dernier reflet du couchant.

Le premier, il descendit les degrés du péristyle. Il marchait sans y prendre garde dans la direction qu'il avait montrée du doigt. Quand il se retourna, il vit sa compagne immobile, entre deux colonnes. Ainsi, jadis, elle l'attendait au Calvaire. Sa forme blanche se détachait sur le mur moins clair.

— Comme elle est belle ! songea-t-il, vaincu encore une fois.

Elle respirait ses fleurs en regardant le soir. Il se souvint de leur étrange visite de l'après-midi :

« L'Amour et ses roses. »

Il appela :

— Edith ! ne viens-tu pas ? La fraîcheur tombe et tu n'as pas de châle.

Et tandis qu'elle le rejoignait, il regarda vers le point d'horizon qui lui représentait son pays et songea :

« Les ruines sont là-bas. »

Avec son sourire engageant, l'artiste d'Orta n'avait-il pas assuré que *l'amour se plaît dans les ruines ?*

II

L'ANNIVERSAIRE

Le jour même de leur *anniversaire*, Maurice
voulut déterminer sa compagne au départ. Après
le déjeuner, il l'emmena dans l'avenue qui borde
le Mont Sacré, et qui s'ouvre, par intervalles, sur
de petits balcons protégés par une balustrade de
pierre et aménagés pour la vue du lac.

Le soleil y donnait en plein ; mais à la fin d'octobre on le recherche au lieu de l'éviter.

Triste ou distraite, elle ne parlait pas. Le premier, il rompit le silence qui, maintenant, les
séparait au lieu de les unir.

— Ce jour devait arriver, Edith. Nous avons été
heureux ici. Mais il faut partir. On m'attend à
Paris. Ce sera le commencement d'une vie nouvelle.

Il espéra une réponse, un encouragement, et
reprit avec embarras :

— Nous installerons notre amour en ménage,
Nous aurons un foyer. Je m'occuperai de régula-
riser notre situation, d'obtenir ton divorce. Tu
n'as pas voulu jusqu'à maintenant que je m'en
occupe. Nous avons brisé tous les liens sans rega-
der en arrière.

Edith éluda cette mise en demeure. Redoutant

confusément de quitter l'Italie, elle parut détachée
de tout projet :

— A cette heure comme il fait bon ! Hier soir,
j'ai senti le froid.

Il la suivit avec patience :

— Froid ? L'air est si doux qu'on se croirait
encore en été.

— Pourtant c'est l'automne. Regarde.

A leurs pieds s'étendaient les rives hautes et
dentelées du lac. En face d'eux, c'étaient les contours précis des montagnes. Çà et là, un oratoire,
un village, une tour fixaient les points saillants
du paysage. Les arbres et les buissons, en quelques
jours, avaient changé de couleur : seuls, les groupes
de pins maintenaient leur vert intact dans une mer
d'or pâle.

Ils s'étaient appuyés à la balustrade. Comme
en Savoie, la beauté menacée des choses communiquait à Edith une exaltation presque douloureuse. Les narines dilatées, les nerfs tendus, toute
vibrante, elle respirait la grâce mortelle de l'automne. Lui, ne pouvait détacher ses yeux de ce
visage qu'il n'avait peut-être jamais vu dans le
calme, mais toujours animé par quelque passion et
comme brûlé à l'intérieur d'un feu dévorant que
le regard révélait. Quelques lignes délicates, le mouvement du sang sur une jeune chair, le parfum de
cheveux noirs, et la beauté du monde s'abolit, ou
plutôt se ramasse en un tout petit espace. Il remarqua d'un seul coup, sur elle, le travail de l'année écoulée. La jeunesse retrouvée, la liberté, le
plaisir, les villes d'art parcourues avaient favorisé
son épanouissement. Partie le cœur bouillonnant de

désirs confus, elle s'était affinée et complétée à la fois. Jamais encore il n'avait apprécié avec autant de sûreté l'achèvement de sa séduction. Il en éprouva une jouissance angoissante, en songeant qu'il pouvait la perdre.

Elle sentit le regard persistant de Maurice, lui sourit et désigna l'horizon d'un geste large qui semblait le cueillir :

— C'est plus beau que les premiers jours.

Il ne put se tenir de lui traduire sa dernière pensée :

— Toi aussi, tu es plus belle.

Ce compliment inattendu la surprit :

— Vraiment ?

— Oui. Regarde les arbres. Ils sont plus légers et comme débarrassés d'un poids inutile. Sous leurs branches on voit plus loin. Ainsi dans tes yeux on voit plus profond.

— Jusqu'à mon cœur ?

— Jusqu'à ton cœur.

Elle sourit en pensant à tout ce qu'un jeune homme ignore encore d'un cœur de femme. Et ne doutant plus de son pouvoir, elle jugea le moment favorable pour provoquer elle-même l'explication si longtemps repoussée. Son but était de rejeter tout mensonge, et de s'attacher irrévocablement son amant par l'acceptation d'une complicité impossible à désavouer si tard. Cette acceptation serait le plus grand témoignage de tendresse qu'elle recevrait de lui. Elle l'eût donnée, elle, sans hésiter, dans le cas inverse. Mais avec les hommes, il faut tout craindre, jusqu'au bout, ils ont une si étrange conception de l'honneur.

Le droit de prendre et d'emporter le montant de la donation que lui avait consentie M. Frasne ne faisait pour elle aucun doute. Qu'est-ce qu'une donation que le donateur peut retenir ? Elle chassait même les scrupules qui lui venaient sur la manière dont elle avait agi. Que lui importait la manière ? Les femmes ne comprennent qu'à demi les questions d'intérêt qui les gênent. On lui avait expliqué que cet argent était à elle. Cette explication lui suffisait. Eût-elle dépouillé son mari qu'elle n'eût point connu de remords, puisqu'elle le haïssait. Mais de bonne foi elle ne croyait pas l'avoir dépouillé. Elle n'avait emporté strictement que son dû quand elle n'aurait eu qu'à élargir la main. Elle avait donné, elle, sa jeunesse et sa beauté. Elle avait payé avec de la vie, avec des larmes. Pourrait-on lui restituer ses neuf années de répulsion vaincue, de dégoûts accumulés ?

Cependant, au moment de tout révéler, elle hésita, puis de sa voix la plus câline, elle commença :

— Le bonheur embellit donc ? Depuis mon enfance, c'est ma première année de bonheur. Ah ! si tu savais mon passé !

— Je te l'ai réclamé souvent, Edith. Dis-le-moi. Donne-le-moi. Toi non plus, tu ne peux plus garder tes secrets.

Ce fut sa version, un peu arrangée comme toutes les autobiographies : une enfance joyeuse et choyée dans un milieu de luxe bourgeois, la ruine de son père atteint de la passion du jeu, ruine mal supportée qui le conduisait rapidement à l'ennui, à l'ivresse, à la maladie et à la mort ; puis la retraite

à la campagne avec une mère faible et désolée,
et déjà la révolte intérieure dans une existence
monotone, toute la fièvre du désir consumant de
convoitise le cœur de la jeune fille qui, ayant hérité
de l'imprudence et de la générosité paternelles, se
trouvait réduite à donner des leçons de piano aux
enfants des villas environnantes et attendait avec
impatience l'amour dont elle espérait la liberté.

Le jeune homme coupa son récit pour murmurer :

— C'était la misère.

Elle crut qu'il s'apitoyait, et lui sourit pour le
remercier de sa compassion. Prise elle-même par
ses souvenirs, elle ne remarqua pas l'attention
concentrée avec laquelle il guettait ses moindres
paroles.

— Presque, répondit-elle.

— Et déjà tu étais jolie ?

— Je ne crois pas. J'étais si maigre. Un sarment
de vigne.

Mais elle se connaissait bien, car elle ajouta d'un
ton de gaminerie :

— On s'en sert pour mettre le feu.

Alors commencèrent les poursuites de M. Frasne.
Avec ses yeux à fleur de tête et l'obstination qu'elle
devinait sous ces airs douceâtres, il lui inspirait un
sentiment de répulsion. Elle se révolta ; il se décida, le premier de tous ceux qui la recherchaient,
à demander sa main. Il possédait une belle fortune,
une situation honorable à Paris ; il pouvait acquérir
à son gré une étude de notaire à Grenoble ou dans
quelque ville voisine. C'était le mariage de conve-
nance dans toute son horreur. Elle détestait la pau-

vreté ; sa mère, qui n'y était pas accoutumée, la
redoutait plus encore. Les vieilles gens ont souci
de vivre, et l'amour ne les émeut plus. Toute la
parenté circonvint la jeune fille.

— Je me vendis, acheva-t-elle.

Il ne l'avait pas interrompue. Le cœur battant, il
la suivait comme on court à l'abîme. Quand elle
s'arrêta sur cette fin, il jeta brutalement les mots
qui depuis un instant lui venaient à la bouche :

— Et ta dot ?

— Attends, tu vas comprendre.

De rares promeneurs prenaient le soleil dans
l'avenue. Des enfants jouaient au bois, loin d'eux.
Ils étaient presque seuls ; par ces présences, même
discrètes, dans cette crise qu'ils traversaient et
qu'elle avait adroitement reculée jusqu'à ce jour,
elle perdait une grande force d'augmentation,
celle de ses baisers. Elle avait compris, elle ne
pouvait pas ne pas comprendre ce qui agitait son
amant : si souvent elle y avait songé. C'était ce
qui dès longtemps les tourmentait tous deux, ce
qu'elle était parvenue au prix de tant d'efforts, par
des mensonges ou par le refus de parler du passé
— il compte si peu quand on aime — à écarter de
leur bonheur. Dans son arrière-pensée, c'était cela,
pourtant, qui les devait unir pour toujours.

Tandis que bravement elle bandait son intelligence comme un arc pour enfoncer plus avant une
explication qu'elle voulait sincère, loyale, décisive
il répéta la voix étranglée :

— Ta dot ? Tu n'avais pas de dot ?

Et retrouvant le ton de commandement qu'il
tenait de son père, il donna des ordres :

— Parle. Il le faut. Parle donc.

Surprise, décontenancée, elle le regarda presque avec frayeur. Ce grand jeune homme de vingt-cinq ans, si doux, si adoré, qu'elle croyait tenir en sa possession, voici qu'il se transformait brusquement en maître. Elle n'avait donc pas exploré tous les recoins de ce cœur qui lui appartenait. Instinctivement, pour protéger leur amour, elle livra le moins de vérité possible.

— Ma dot, Maurice ? Elle est bien à moi, ma dot.

— D'où vient-elle ? Ce n'était donc pas de tes parents ? Ah ! je devine. C'est lui, n'est-ce pas, qui te l'a constituée dans ton contrat de mariage ? Réponds.

— Oui, c'est lui qui me l'a donnée. Et après ? elle est à moi.

Plus épouvanté qu'elle encore, il contint sa colère à cause des passants, mais lui imposa un interrogatoire.

— Non, malheureuse, elle n'est pas à toi. Je connais ces contrats. C'était une donation pour le cas où tu survivrais à ton mari : c'était cela, j'en suis sûr. Rappelle-toi et prends garde.

Elle tendait tout son être vers les paroles menaçantes qui tombaient des lèvres trop chères, des minces lèvres rouges. Il ne s'agissait plus, pour elle, de convertir son amant en complice, d'obtenir de lui ce suprême gage d'amour, seulement de sauver cet amour. Elle n'avait à sa disposition que les caresses de sa voix dont elle savait qu'il subissait l'influence, et d'ailleurs n'était-ce pas la vérité ce qu'elle allait affirmer ?

— Maurice, ne me traite pas ainsi. Tu te trompes.

Ma dot est à moi. Elle a été tout de suite à moi. C'est un ami de mon père qui l'a exigé. En veux-tu la preuve ? Tant que ma mère a vécu, je lui en ai servi les rentes. J'en pouvais disposer. Tu vois ton erreur. Ne me traites pas ainsi.

Dans son désarroi, l'ancien clerc de l'étude Frasne, rassemblant toutes ses notions de droit, cherchait à raisonner :

— C'est toujours une donation. Une donation de lui. Et une donation est révocable en cas de divorce.

— Pas la mienne, je te jure, assura-t-elle à tout hasard.

— Tâche de réfléchir, Edith. C'est tellement grave que ma vie est en jeu.

— Ta vie ?

— Oui. Ou mon honneur. C'est la même chose. Cette dot, est-ce toi qui l'administrais, qui en touchais les revenus ?

— C'était moi.

Aux aguets, elle avait deviné dans quel sens il fallait répondre, et se précipitait dans le mensonge avec avidité. La donation de cent mille francs que M. Frasne lui avait consentie était bien sa propriété en effet, mais sous l'administration et le contrôle du mari. Elle n'eût pas résisté aux suites d'une action en divorce. Dans tous les cas, Mme Frasne n'en avait pas la libre disposition, elle n'en pouvait opérer, seule, le retrait. Mais que lui importaient ces arguties ?

Cependant il continuait, implacable comme un juge d'instruction :

— Cette dot, où était-elle déposée ?

— A la Banque Universelle, en titres que j'ai

fait négocier. Je te l'ai déjà raconté. Laisse-moi.

— Déposée en ton nom ?

— En mon nom.

— Est-ce là que tu l'as retirée avant notre départ ?

— C'est là.

— Tu as pu la retirer avec ta seule signature à l'agence de Chambéry

— Oui.

— Alors tu étais mariée sous le régime de la séparation des biens ?

— C'est cela.

Plusieurs fois, il l'avait interrogée à ce sujet, depuis qu'elle lui avait avoué, peu de temps après leur fuite, la réalisation de sa fortune personnelle qu'elle lui représentait comme un héritage de famille. Cette fable d'une maison de crédit, imaginée alors pour ne pas éveiller la susceptibilité du jeune homme, elle la maintenait énergiquement le jour même où elle pensait l'abandonner.

Ses réponses nettes et rapides, conformes à de précédentes explications, étaient plausibles en somme. Il n'était pas invraisemblable qu'un conseiller de la famille Dannemarie se fût entremis, avant la signature du contrat, pour obtenir de la passion de M. Frasne une donation immédiate, absolue et définitive, destinée à sauvegarder l'avenir de la jeune fille et à lui assurer, dans le présent, plus d'indépendance et de dignité. Pourquoi Maurice eût-il douté de pareilles affirmations ? Ne détruisaient-elles pas suffisamment son bonheur ? C'était déjà trop que, cédant à une sorte d'envoûtement dont il se réveillait avec colère, il eût ac-

cepté, par un indigne compromis, de retarder son
entrée en carrière jusqu'à l'expiration de cette
année d'amour. Mais de la fortune d'Edith qu'il se
faisait l'illusion de compléter prochainement par
son travail, il ne soupçonnait pas l'origine empoi-
sonnée. Voici que cette origine se dévoilait pour
anéantir son orgueil et briser en lui toute estime
de soi-même. Cette fortune, si elle appartenait en
propre à sa compagne, provenait en réalité de
l'homme dont il avait ruiné le foyer. Qu'il s'en fût
glissé la moindre parcelle dans son existence,
c'était une infamie qu'il ne pouvait à aucun prix
tolérer...

Se sentant perdu, il calcula mentalement le
chiffre de sa dette.

— Ta fortune est placée à la Banque internationale de Milan. Sais-tu combien il y manque ?

— C'est toi qui l'administres.

— Huit mille francs, à peu près.

— Nous n'avons pas beaucoup dépensé, pro-
testa-t-elle avec douceur.

De fait, cette somme, ajoutée à celle qu'il avait
emportée lui-même, atteignait un chiffre bien peu
élevé pour les dépenses d'une année entière passée
en voyage. Mais à Orta, où ils résidaient depuis
six mois, la vie est à bon marché, les distractions
rares et peu coûteuses. Edith, après une courte
période de prodigalité, s'était montrée constam-
ment facile et simple, contente à peu de frais : il
lui suffisait d'aimer.

Où et comment se procurerait-il ces huit mille
francs ? Tant qu'il ne les aurait pas remboursés, il
se croirait déchu, sans honneur, et la vie lui serait

à charge. Parce qu'il ressentait profondément l'humiliation, Maurice accabla sa compagne de mépris :

— C'est bien. Je suis ton débiteur : je te rembourserai. Après, nous verrons.

A bout de forces, découragée, vaincue, elle soupira :

— Quelle conversation pour des amants, et le jour de notre anniversaire !

Elle se cacha le visage. Plus misérable qu'elle, il s'approcha et tenta de lui écarter les poignets :

— Ecoute, Edith, je ne t'accuse pas, toi. Nous vivions ensemble comme si nous étions mariés. Je ne pensais qu'à notre amour. J'avais tort. Je suis encore bien jeune.

Elle lui abandonna ses mains, sans crainte de montrer de pauvres yeux gonflés :

— Est-ce que je n'accepterais pas tout de toi avec reconnaissance ?

— De toi, mais de *lui ?* Il est vengé. Si j'ai détruit son foyer, il a brisé mon bonheur.

— Est-ce que je songe à lui, moi ?

Mais il continua gravement avec une insistance douloureuse :

— Nous vivions avec tant d'insouciance. C'est fini.

Il y avait tant de désespoir dans son accent qu'elle se jeta dans ses bras :

— Tais-toi !

Elle voulut l'entraîner hors de ce balcon d'où ils avaient laissé choir leur confiance dans la vie.

— Viens dans le bois, Maurice. Viens t'asseoir à l'ombre, derrière notre chapelle. Nous serons seuls et moins malheureux.

Il se décida brusquement à l'écouter.

— Oui, allons-nous-en d'ici.

Les rayons qui passaient entre les pins dessinaient sur le sol jonché de feuilles mortes des bandes claires. C'étaient, sur le chemin d'ombre, comme des flaques à traverser. Ils contournèrent la chapelle. Edith chercha un coin de mousse à l'écart, fit asseoir son amant, et lui prenant le visage elle le couvrit de baisers. A ses caresses il parut s'abandonner, puis il la repoussa tout à coup :

— Non, laisse-moi. Va-t'en. Quand tes lèvres s'appuient, je n'ai plus de volonté. Je ne suis plus rien. Je n'ai plus que mon cœur qui bat.

— Je t'aime.

— Justement, je t'aime.

Debout, comme égaré, il lui montra, dans le feuillage, le lac qui brillait. Déjà Edith tremblante avait compris la tentation.

— Mais je t'aime plus qu'avant. Tu commanderas, je t'obéirai, je t'écouterai.

— Veux-tu venir avec moi ?

— Où me conduiras-tu ?

— Là-bas.

Elle se recula instinctivement :

— Tais-toi.

Mais comme elle, au Calvaire de Lémenc l'année précédente, l'avait entraîné au départ, il s'exaltait à la convaincre :

— Viens. Notre année d'amour est déjà morte ! Viens : notre amour est déjà mort. Personne ne nous cherchera. L'eau n'est pas froide. Nous nous laisserons glisser d'une barque. Je n'ai plus d'honneur. Veux-tu venir ?

Elle le prit à pleins bras et cria d'une voix d'épouvante.

— Non, non, non. Moi, je t'aime. Quand on aime, on ne veut pas mourir. Quand on aime, on ment, on vole, on tue, mais on ne veut pas mourir. Les amants qui se tuent n'aimaient pas leur amour.

Il se dégagea de son étreinte, sans craindre de la blesser.

— Laisse-moi. Ne me touche plus.

Et il s'enfuit. Presque aussi agile que lui, elle s'élança à sa poursuite. Les enfants qui jouaient suspendirent leur partie pour s'intéresser à cette course.

Quand il fut hors d'atteinte, Maurice se dirigea vers la cour de Buccione. Il l'avait découverte dans ses promenades avec Edith. Dernier débris d'un ancien château fort, c'est une haute tour carrée entourée de pans de murs en ruines qu'envahissent les plantes grimpantes. Elle se dresse à l'extrémité du lac d'Orta, sur une colline de châtaigniers, et commande un paysage qui, du sud au nord, va de Novare, cité claire au bout de la plaine, au mont Rose, dont le lointain sommet regarde par-dessus les autres plans de montagnes, et dont les glaciers scintillent au soleil. L'endroit est désert, et de nulle part dans les environs la vue n'est aussi étendue. Souvent, lorsque la fatigue de sa compagne le laissait disposer de quelques heures, il était venu là pour regarder vers son pays et se sentir en exil.

Il y demeura longtemps à envenimer sa blessure. De la passion qui devait combler sa jeunesse, pour-

quoi ne sentait-il plus à cette heure que la misère ?
Il y avait donc autre chose que l'amour, quelque
chose de si considérable que, s'il ne pouvait détruire
l'amour, il avait assez de force pour le réduire au
second plan et corrompre ses joies. L'amour n'était
point toute la vie. Il ne pouvait même pas s'isoler,
se détacher du reste de la vie. Livré à lui-même, il
n'était qu'une force désordonnée et destructrice.
De l'autre côté de ces montagnes qui fermaient
l'horizon, il avait dû occasionner quelque désastre.
Maintenant Maurice en était sûr.

Pouvait-il sincèrement accuser les seules circonstances ? Non : évoqué avec franchise, ce passé
le condamnait. Il se découvrait responsable de
légèreté, de faiblesse : responsable pour avoir
accepté de partir quand il pouvait prévoir que les
ressources ne tarderaient pas à lui manquer ; responsable pour avoir accueilli sans preuves les
explications qu'Edith lui avait fournies et dont
il lui était facile de saisir l'insuffisance ; responsable pour avoir consenti, sous l'inspiration de ses
caresses, à jouir du présent sans le relier au passé
ni à l'avenir ; responsable encore pour avoir cédé
à ses sollicitations quand elle s'obstinait à lui réclamer une année de paresse et de lâcheté.

Et il lui apparut clairement que s'il tenait à son
honneur, le salut ne pouvait lui venir que de sa
famille. Sans elle, il s'estimait perdu, puisqu'il ne
pouvait, et peut-être de longtemps, restituer cet
argent dont il ne voulait pas avoir vécu ; mais s'il
implorait son secours, elle le sauverait. Comment
ne le sauverait-elle pas ? N'était-elle point solidaire
de sa honte ? Si elle était solidaire de sa honte, il

avait donc aussi envers elle des devoirs qu'il avait
désertés. Favorisé dans sa naissance, il avait contracté des obligations qu'il avait négligées, un pacte
qu'il avait rompu. La famille qui nous doit assistance dans la mauvaise fortune, dans le péril, de
quel droit l'oublier dans la poursuite d'un bonheur
égoïste dont les conséquences lui sont contraires ?

L'orgueil le séparait de son père. Mais sa mère
serait sa confidente. Il lui demanderait la somme
nécessaire à sa libération. C'était cela qui pressait.
Il fallait avant toutes choses recouvrer l'honneur à
ses propres yeux.

Ainsi décidé, il regagna l'hôtel en hâte, et écrivit
à Mme Roquevillard. Il venait de terminer sa lettre
et de la mettre à la boîte lorsque Edith rentra. Il
l'aperçut au bout de l'allée et fut presque étonné
de la revoir si vite, tant il s'était éloigné d'elle
en quelques heures. Depuis un an, elle avait occupé
tous ses jours, et son cœur à chaque battement.
Se trouvait-elle si rapidement dépossédée de son
royaume ?

Quand elle le vit, elle s'arrêta, interdite, puis
courut se précipiter dans ses bras.

— C'est toi... c'est toi...

— Mon amie, ma chérie... dit-il avec une grande
douceur.

— Tu es là, je suis contente...

Elle montra le lac d'un geste d'effroi, pour expliquer sa course :

— Je viens de là-bas. J'ai suivi la grève. Asseyons-nous, veux-tu ? Je n'ai plus de jambes. J'ai
eu si peur.

Elle ne se lassait pas de le regarder. Il retrou-

vait à sa vue l'ancien enchantement. Le paysage
d'automne les entourait de sa volupté fragile. Sur
les ruines, l'amour vainqueur se dressait.

Eperdument ils goûtaient un bonheur que tous
deux savaient condamné.

Dès lors ils ne parlèrent plus du passé. Lui attendait une réponse à sa lettre. Elle n'osait plus
l'interroger, mais redoublait de charme afin de lui
plaire. Ce charme s'était modifié. Il n'avait plus
rien de provocant ni de perpétuellement agité. La
crainte de perdre son amant l'avait rendue humble
et soumise, toute faible et tendre. Elle recherchait
les conversations, les lectures qu'il preférait. Elle
devinait au piano sa musique de prédilection. Lui-
même ne la traitait plus qu'avec bonté. De ce re-
nouveau de paix affectueuse, tous deux ne jouis-
saient qu'avec gêne. Leur accord était sans gaîté,
sans conviction, sans confiance.

Le 2 novembre leur fut particulièrement cruel.
Afin de se livrer mieux à ses souvenirs de famille
que le jour des Morts avivait, Maurice voulut sortir
seul, mais Edith implora de l'accompagner. Il
accepta sans plaisir, et tandis qu'elle se préparait, il
fut l'attendre au Mont Sacré.

— Où allons-nous, demanda-t-elle en le rejoi-
gnant.

— Au cimetière, comme tout le monde aujour-
d'hui.

Avant de pénétrer dans le cimetière d'Orta, il
fallait traverser un champ inculte qui jadis en
avait fait partie et qui avait été désaffecté. Les
tombes qu'il renfermait dans son enclos étaient

invisibles et anonymes. Rien ne les désignait plus
au regard, ni un nom, ni une croix, pas même un
pli de terre. A cause de la Toussaint, des mains
inconnues avaient disposé çà et là des gerbes de
chrysanthèmes qui transformaient cette prairie en
jardin.

Edith et Maurice s'arrêtèrent dans cet enclos
que limitaient des marronniers. Les feuilles sem-
blaient ne plus tenir que par la mollesse de l'air.
Un coup de vent suffirait à dévêtir les arbres. Avec
le soir qui venait, un peu de bise fraîche se leva.
Et des feuilles d'or tombèrent en effet, tournoyèrent
quelques instants, et allèrent se tasser dans le fossé
qui bordait l'allée principale. L'une d'elles se posa
sur le chapeau de la jeune femme.

Un tel signe de détresse sur ce visage au teint
chaud, aux yeux de feu, sur cette forme de chair
qui, dans l'immobilité même, gardait l'animation
de la vie, ce fut de quoi achever d'émouvoir son
compagnon que ce jour surexcitait.

Comme il se taisait, elle lui montra les chrysanthèmes.

— Les belles fleurs, dit-elle.

Et tous deux songèrent qu'elles recouvraient la
mort. Par un retour inconscient sur eux-mêmes,
ils regardèrent la rangée d'arbres qui les dissimulait à demi, et, se rapprochant l'un de l'autre, ils
s'embrassèrent sur les tombes.

III

LES RUINES

... Le surlendemain de cette promenade, Maurice fut appelé au bureau de l'hôtel.

— C'est pour une lettre chargée. Le facteur vous réclame.

Il reconnut les enveloppes jaunes dont se servait son père, et fit sauter rapidement les cachets, tandis que la gérante, ayant lu le chiffre de la recommandation, l'observait d'un air admiratif. La lettre, encadrée de noir, contenait à l'intérieur un billet français de cent francs et un chèque de huit mille sur la banque internationale de Milan, signé de sa sœur Marguerite.

« Maintenant, se dit-il, je suis mon maître. »

Après l'humiliation, sa première pensée était orgueilleuse. Rasséréné, il remarqua mieux la bordure du papier, et son cœur se serra. Il y avait eu un malheur, un grand malheur pendant son absence. Dans l'extrême jeunesse, et plus tard quelquefois, on n'envisage point la possibilité de perdre ceux qu'on aime : on s'éloigne d'eux sans angoisse, avec la certitude de les retrouver au retour. Au premier deuil, cesse le crédit de l'avenir. Séparé des siens, privé de nouvelles, préservé par l'insouciance de l'âge et l'égoïsme de l'amour, il avait

pu ignorer cette inquiétude qui brutalement étreint
la poitrine lorsque le souvenir intervient. Souvent,
de plus en plus souvent, il évoquait sa famille, il
imaginait la place vide qu'il avait laissée. La présence d'Edith ne suffisait pas toujours à chasser ces
fantômes. Mais de pressentiments funèbres, il n'en
avait jamais eu. Depuis quelques jours cependant,
depuis que la saison ajoutait sa fragilité à celle de
son bonheur, il revoyait plus distinctement le visage
si pâle de sa mère, il sentait sur sa joue la dernière
caresse qu'elle lui avait donnée d'une main qui était
froide, dont il retrouvait, après un an, le contact.

Le coup qui le frappait ne le trouvait pas préparé. Pourquoi était-ce Marguerite qui avait tenu
la plume ? De qui pouvait-elle être en grand deuil,
sinon ?... La réponse à cette question, il n'osait
pas se la faire : elle s'imposait. Il prit son chapeau et
sortit, la lettre à la main. Comment l'aurait-il
lue dans ce bureau d'hôtel ? Pas même sur la terrasse, ni dans l'avenue, ni sous le bois : Edith sur-
viendrait dans quelques instants, le surprendrait,
et cette douleur-là, elle n'était qu'à lui, il ne la voulait partager avec personne. La partager, c'était la
diminuer quand il désirait l'épuiser.

Dehors il lut les premières lignes et s'enfuit dans
le chemin comme une bête blessée qu'on poursuit.
Tant qu'il aperçut des maisons, il continua sa
course. Il cherchait une solitude où pleurer sans
être vu. Et il se dirigea vers la tour de Buccione.

Il ne s'arrêta qu'au sommet de la colline, au pied
de la tour. Hors d'haleine, il se laissa tomber dans
l'herbe qui poussait entre les murs écroulés. Il avait
couru, comme si l'on peut fuir devant le destin.

A mesure qu'il reprenait son souffle, la peur s'emparait de lui et le tenaillait davantage. La lettre de plusieurs feuillets qu'il tenait toujours dans sa main crispée, il n'osait pas la lire tout entière. Il lui fallut un grand effort pour en continuer la lecture qu'il dut interrompre plusieurs fois. Elle lui annonçait plus de malheurs même qu'il n'en pouvait prévoir.

Chambéry, 2 novembre,

« Mon cher Maurice,

« Ta lettre m'a été remise à moi. C'est moi qui l'ai décachetée. Je l'attendais depuis longtemps. Je pensais bien qu'elle viendrait, ou toi. Notre mère me l'avait annoncé. Tu ne pouvais pas nous avoir oubliés pour toujours.

« J'ai compris en te lisant que tu ne savais plus rien de nous depuis ton départ, et je me suis mieux expliqué ton silence persistant. Toi, tu as déjà compris que nous n'avons plus maman. Pour te le dire, je retrouve toute ma souffrance que je ne veux pas perdre, et qui me rapproche d'elle. Pleure avec moi, mon pauvre frère, pleure beaucoup de larmes pour le temps où tu n'as pas pleuré. Mais ne te laisse pas aller au désespoir. Elle ne le veut pas.

« Elle nous a quittés le 4 avril dernier, il y a bientôt sept mois. Tout l'hiver ses forces ont décliné lentement, doucement. Elle ne souffrait pas ; du moins elle ne se plaignait pas. Elle ne cessait pas de prier. Un soir, sans que rien n'eût fait prévoir davantage une fin aussi prompte, elle a passé en priant. Père et moi, nous étions là. Elle nous a regardés, elle a essayé de sourire, elle a murmuré un nom que nous avons compris tous les deux et qui était le tien. Et puis sa tête s'est renversée en arrière. Ce fut tout.

« Quelques jours auparavant, elle m'avait parlé de toi, comme si elle m'exprimait ses dernières volontés. Je m'en suis rendu compte plus tard : elle parlait comme à l'ordinaire, si simplement. Elle m'a dit : « Maurice reviendra. Il est plus malheureux que coupable. Il l'ignore encore et il l'apprendra. Il aura besoin de tout son courage. Promets-moi, toi, lorsqu'il reviendra, de le recevoir, de le réconcilier avec son père, avec sa famille, de le défendre, enfin de ne jamais l'abandonner, quoi qu'il arrive. » Je n'avais pas besoin de promettre et j'ai promis. Aussi, quand ta lettre est venue, je n'ai pas hésité à l'ouvrir : je remplace maman, bien mal, mais de tout mon cœur. »

« Il faut que tu le saches : maman ne te croyait pas coupable. Moi non plus. Père non plus, j'en suis sûre ; mais il nous disait que la faiblesse est une façon d'être coupable, et que celui dont la famille a soutenu les premières années jusqu'à l'âge d'homme n'est pas libre d'entraîner par ses actes la décadence de toute sa race. Maintenant il ne parle plus de toi, jamais. Je devine qu'il y pense souvent, et qu'il en a beaucoup de peine. Souviens-toi de lui, Maurice, souviens-toi de lui autant que de notre mère qui se repose. Il a changé, beaucoup changé. Lui qui avait gardé tant de jeunesse dans la démarche, dans l'expression, dans la voix,

il a vieilli en peu de jours. Il travaille sans relâche.
Il oublie, en travaillant, le mal... Mais j'ai promis
de ne pas t'adresser de reproches. Cependant il faut
bien que tu apprennes ce que nous sommes tous
devenus, puisque tu étais sans nouvelles depuis une
année. Il est si estimé que pas un de ses clients ne
lui a retiré sa confiance.

« Hubert, qui devait rester deux ans en France,
a obtenu de repartir pour les colonies. Il s'est
embarqué au mois de mai dernier à destination du
Soudan. Il commande un poste très avancé, à l'intérieur des terres, à Sikasso. C'est un endroit assez
exposé. C'est ce qu'il avait demandé.

« Félicie est toujours à l'hôpital d'Hanoï. Elle
s'inquiète beaucoup de toi. Dernièrement, elle nous
racontait la mort de deux missionnaires belges
qui ont été massacrés sur la frontière de la Chine.
Au lieu de s'en affliger, elle se réjouissait pour eux
de leur martyre, et regrettait de ne pouvoir donner
sa vie pour celui qu'elle appelle « l'enfant prodigue »
et que tu reconnaîtras. Elle a hérité de la piété
ardente de notre mère. Que Dieu nous la garde là-
bas, à l'autre bout du monde !

« Les Marcellaz nous ont quittés. Malgré les
prières de Germaine, Charles a vendu son étude
pour en acquérir une autre à Lyon. Ce départ nous
a été dur. Cependant père soutient qu'il est raisonnable. Notre beau-frère avait une occasion de
se rapprocher de sa famille qui est de Villefranche,
tu le sais ; il devait en profiter. Ils sont venus
passer les vacances avec nous à la Vigie. Pierre et
Adrienne y ont pris de bonnes joues rouges. Le
petit Julien, mon favori, est resté un peu pâlot.

L'air de Savoie lui convient mieux que les brouillards de Lyon. Aussi Germaine nous l'a-t-elle laissé pour cet hiver. Il anime notre grande maison qui est bien triste.

« J'ai terminé ma revue. Autrefois, c'était notre mère qui centralisait les nouvelles des absents, et les transmettait des uns aux autres. Tu vois que je tâche de la remplacer. Pour ce qui me reste à te dire, c'est plus difficile. Pourtant, je te le dirai sans récriminations. Il me semble que ce sera mieux. D'abord je te suis dévouée, quand même, et puis tu jugeras de notre misère qui est la tienne.

« Tu ne dois pas savoir ce qui s'est passé tout de suite après ton départ : sans quoi tu n'aurais pas gardé ce silence qui nous a tant affectés. M. Frasne a déposé contre toi, oui, contre toi, une plainte en abus de confiance. C'est ainsi que cela s'appelle : on en a tant parlé. Il t'accusait d'avoir pris cent mille francs dans son coffre-fort. Il s'est porté partie civile pour forcer la justice à te poursuivre, et comme tu n'étais pas là, on t'a jugé par contumace. Je t'explique avec les mots qu'on a employés. Les conseillers ne voulaient pas te condamner. Mais les clercs de l'étude, surtout M. Philippeaux, ont témoigné contre toi à l'audience. Ils ont déclaré que tu savais que le coffre-fort contenait tout cet argent, et puis que tu étais resté le dernier à l'étude, avec les clefs, et que tu connaissais le chiffre qui sert à ouvrir. Alors, on t'a condamné, avec les circonstances atténuantes, à un an de prison. Il paraît que c'est le minimum. On a tenu compte des influences que tu avais subies. Mais ils t'ont condamné, comprends-tu. Cela s'est fait le

mois dernier. Maman n'était plus là. Quand père me
l'a annoncé, son visage était si blanc que j'ai eu peur
pour lui. Il se dominait, comme toujours. J'aurais
préféré qu'il pleurât. Mais il n'est pas de ceux qui
pleurent. Il souffre en dedans, et c'est pire.

« Le jugement a été affiché à notre porte, publié
par les journaux. Il paraît que c'est la loi. Tous les
vieux Roquevillard qui ont rendu tant de services
au pays n'ont pas épargné cet affichage à notre nom.

« Il y a aussi les cent mille francs que tu dois
restituer à M. Frasne. Père est d'avis de vendre la
Vigie pour les payer. Il dit que la durée de ton
absence prouve malheureusement que tu as dû en
profiter, et que cela, au point de vue de l'honneur,
c'est pareil au vol. Charles soutient au contraire
que les payer, c'est te reconnaître coupable, et
qu'il ne le faut à aucun prix. Mais il n'a pas charge
de l'honneur de la famille, et moi je suis avec père.
Dans tous les cas, la justice a nommé un séquestre
qui a fait diviser la fortune de notre mère pour
avoir ta part. Sur la mienne, comme je suis ma-
jeure, père m'a remis la somme que je t'envoie et
que je lui ai demandée. Il a paru étonné ; je ne
sais pas s'il a compris. Je lui ai offert ta lettre, il l'a
refusée avec ces mots que je te transmets :

« — Non, il est mort pour moi, s'il ne revient pas
prouver son innocence.

« J'ai ajouté cent francs pour ton retour. Il faut
que tu reviennes. Vois le tort que tu nous as fait.
Au nom de notre mère dont ce fut le dernier désir,
le dernier ordre, au nom de notre père que tu as
blessé au cœur, à ce cœur si noble, si tendre, au nom
de Félicie et d'Hubert qui méritent pour toi, de

Germaine et de ta petite sœur, au nom de tous les
nôtres qui pendant tant d'années n'ont donné que
des exemples d'honnêteté, et qui te conjurent de
ne pas renverser en un jour l'œuvre de toute une
suite de générations, reviens. Je t'attends. Je serai
là. Je t'aiderai. J'ai confiance que, toi revenu, tout
peut encore se réparer. Car tu n'es pas coupable.
Il est impossible que tu le sois. A ta lettre je vois
bien que ce n'est pas toi. Et, s'il y a du danger
pour toi, reviens quand même. Il serait juste que
ce fût ton tour de souffrir, et tu ne serais pas assez
lâche pour t'y dérober.

« J'ai fini. Je voudrais tant t'avoir convaincu.
Pourtant, si *elle* était plus forte que nous, si malgré
nos sacrifices et notre peine, tu ne devais pas
revenir maintenant, je t'attendrais encore. Je
t'attendrais toute ma vie. Elle est à notre père et à
toi. Sache que jamais je ne t'abandonnerai. Ne l'ai-
je pas promis à maman ? Tu as été sa dernière
pensée. Et si ma lettre te désespère, souviens-toi
qu'elle t'a recommandé le courage, rappelle-toi
cette parole de notre père : Tant qu'on n'est pas
mort, il n'y a rien de perdu.

« Adieu, Maurice, je t'embrasse. Ta sœur.

« MARGUERITE. »

La tristesse et la honte qui s'étaient emparées
de Maurice après les demi-révélations de sa maîtresse, que pouvaient-elles signifier auprès du torrent de douleur que précipitait en lui la lettre de
Marguerite ? Comment y résisterait-il, lui qui, seulement pour un infamant soupçon, avait entendu

quelques instants l'appel de la mort ? A ses pieds,
le lac l'invitait pareillement, lui offrait l'oubli, le
silence, la paix, et il ne le voyait même pas. C'était
l'appel de la race qui retentissait dans sa poitrine,
et voici qu'au lieu de faiblir, il ramassait toutes ses
forces pour faire face au désastre qui venait l'accabler. La pensée de la mort est naturelle aux amants
dès qu'ils conçoivent des doutes sur l'éternité de
leur bonheur. Or, il ne s'agissait plus de son
bonheur, chose individuelle dont il se croyait le
maître, à la perte de quoi il se croyait le droit de
ne pas survivre s'il en jugeait ainsi. Avec lui, sa
famille tout entière était en cause. Il ne s'appartenait plus. Qu'il le voulût ou non, il subissait une
dépendance, et l'isolement qu'il avait créé autour
de lui n'était que chimère et vanité. Mais en même
temps qu'il perdait l'éternelle illusion des amants
pour qui l'amour est solitude et se passe de tout
commerce avec le reste du monde, il puisait réconfort comme on puise à un réservoir d'énergie dans
la solidarité même qui s'imposait avec une autorité si puissante.

Sa plus cruelle souffrance fut de ne pouvoir
pleurer sa mère librement, exclusivement. Il envia
les fils qui, devant un cercueil, se livrent, sans retour sur eux-mêmes, à leurs regrets. N'avait-il
point sa part dans cette fin dont aucun pressentiment ne l'avait averti ? Il se souvenait que le médecin ne condamnait pas la malade, qu'il attendait le
salut d'un régime de tranquillité et de repos.
Comment cette frêle existence eût-elle résisté à la
tempête ?

Et la tempête qu'il avait déchaînée en partant

avait ravagé, détruit le foyer. C'était la dispersion,
les Marcellaz partis, Hubert allant chercher un peu
d'honneur pour un nom compromis, et c'était la
menace de ruine avec la vente du vieux domaine.
Il ne restait plus à la maison que son père devenu
un vieillard et Marguerite. Mais Marguerite, pourquoi ne s'était-elle pas mariée ? Son fiancé aurait-il
été assez lâche pour la charger de la faute d'un
autre ? Elle n'en parlait point dans sa lettre. Elle
s'oubliait elle-même, dans l'énumération de leurs
maux. « Ma vie est à notre père et à toi », lui
disait-elle simplement, sans une autre allusion à
son sacrifice. Personne n'avait été épargné, personne, excepté le coupable qui sous un ciel délicat
avait goûté toute la douceur de vivre.

Car s'il ne méritait point l'ignominieuse accusation lancée par M. Frasne, il était coupable envers
sa famille pour s'être cru libre de la trahir. Et il
accusa sa maîtresse dont l'imprudence l'avait ainsi
déshonoré, dont l'amour l'avait avili. Mais était-ce
bien son amour qui l'avait avili ? L'amour qu'il
avait tant convoité pendant sa jeunesse exaltée et
studieuse à la fois, qui avait passé sur son cœur
comme ces souffles embrasés que les lyres légen-
daires suspendues aux arbres attendaient pour
vibrer, il lui attribuait toute sa sensibilité, comme
au vent le son des cordes. Et il le chargeait des
enthousiasmes et des faiblesses dont la source était
en lui-même. Il se rappelait, dans cette course
éperdue qu'il entreprenait à travers sa vie, les yeux,
la bouche, les mouvements d'Edith. A la grâce de
ces gestes, aux caresses de cette voix, à la flamme
de ces regards, oui, le chant de son cœur était

suspendu. Il quitterait cette femme ; il ne renierait pas son amour.

Et d'ailleurs, que reprocherait-il à Edith ? Du drame lamentable où toute une race roulait au fossé par sa faute, que soupçonnait-elle ? Rien, assurément. Elle avait pris cet argent comme elles prennent les cœurs, sans penser à mal, et en croyant exercer un droit. S'il l'avertissait, elle s'étonnerait, et sans hésiter reviendrait à Chambéry crier aux juges l'innocence de son amant. De cette générosité, il ne voulait pas. Il valait mieux qu'elle demeurât toujours dans l'ignorance et que pour elle-même elle ne courût aucun risque. Il partirait ce soir... non, pas ce soir, demain matin sans l'avoir avertie, après avoir complété sa dot illégitime afin qu'elle ne manquât de rien.

Mais que deviendrait-elle, ainsi abandonnée ? N'avait-il pas aussi des devoirs envers elle dont l'amour était toute la vie ?... Il essaya d'imaginer son avenir. Il la vit cruellement déchirée, le maudissant et le pleurant tour à tour, le réclamant au bois sacré, aux chapelles, à tous les témoins de leur tendresse. Il assista véritablement à son agonie. Pourtant il y avait tant de ressort en elle, une telle frénésie de vivre, qu'elle résisterait et se reprendrait. Ne l'avait-il pas vue se dresser contre lui, frémissante et révoltée, quand il avait parlé de mourir ? Oui, elle se reprendrait, elle résisterait, elle vivrait. Et il se sentit le cœur serré à la pensée qu'elle serait aimée encore, que peut-être un jour, plus tard, ce feu dévorant qui la consumait brûlerait pour un autre...

« Non, pas cela, soupira-t-il. Je ne veux pas cela. »

C'était la dernière lutte. Dès le premier moment, il avait avoué sa défaite. La mort de sa mère, le suprême appel de sa famille, l'infamante condamnation qui le frappait ne lui permettaient pas de discuter. Il ne lui restait qu'à régler les détails de son départ, à atténuer dans la mesure du possible le malheur d'Edith. Demeurer avec elle plus longtemps, il ne le voulait pas, et à peine séparé d'elle par une fragile décision, il souffrait à crier de douleur...

Elle l'attendait avec impatience sur le pas de l'hôtel. Dès qu'elle l'aperçut, elle courut à sa rencontre.

— Enfin ! murmura-t-elle comme une plainte légère, non comme une gronderie.

Il essaya de sourire.

— Bonjour, Edith.

Tendre et attentive, elle observait le visage de son amant et remarqua la trace des larmes.

— J'ai toujours peur maintenant, quand tu es loin.

— Peur de quoi ?

— Peur que tu ne reviennes pas.

— Ma chérie...

— Je sais, reprit-elle gravement. Un jour tu ne reviendras pas. Dis-moi que ce n'est pas encore ?

— Tais-toi, Edith. Je t'aimerai toujours.

— Toujours ? quoi qu'il arrive ?

Elle lui prit la main et d'un mouvement d'adoration la porta à ses lèvres. Puis, timidement, elle demanda :

— Tu as reçu des nouvelles de France, ce matin. On me l'a dit.

— Oui.

— De bonnes ?

Il eut le courage de répondre d'un signe affirmatif. Puisqu'il gardait sa peine pour lui seul, c'est qu'ils étaient déjà séparés. Mais elle ajouta :

— Moi, je n'attends jamais de nouvelles. Tu es mon cœur et ma vie.

Et comme elle le précédait sur la terrasse où leur petite table était mise à l'abri du vent, il se demanda :

« Aurai-je la force de partir ? »

IV

LE RETOUR

Edith, couchée, se souleva sur le bord du lit et s'accouda pour regarder son amant qui achevait sa toilette. Il avait posé la lampe à terre afin qu'elle ne reçût pas la lumière que l'abat-jour étouffait.

— Pourquoi te lèves-tu si matin ? lui demanda-t-elle d'une voix endormie et les yeux mal ouverts.

— Je n'ai plus sommeil. Le jour vient.

Il souffla la lampe. Une mince clarté, au bout d'un instant, filtra entre les persiennes.

— C'est la nuit, Maurice.

— Ne vois-tu pas un peu de jour ?

— Ce n'est pas le jour. Il y a clair de lune.

— Repose encore, Edith. Tu en as le temps.

— Oui. Je suis si lasse, si délicieusement lasse.

Elle se laissa retomber sur l'oreiller et ferma les paupières. Même dans le sommeil, elle gardait un air de passion. Il s'approcha du lit, se pencha sur elle, et à l'incertaine lueur qui venait de la fenêtre, il considéra son visage.

« Cette petite flamme du regard qui animait ma vie, songeait-il, pour moi elle est éteinte. Je ne la verrai plus briller. Je ne vois pas le mouvement du sang sur les joues, ni la lumière sur les dents bien que les lèvres soient entr'ouvertes, à peine

l'arc de la bouche, le dessin du nez, la sombre
masse des cheveux dont je sens le parfum. Et son
corps est perdu pour moi... »

Il s'attendrissait, dangereusement. La tentation
lui vint de rester. Il se baissa, effleura le front
dont il sentit la douce chaleur. Elle sourit vaguement en gardant les yeux clos. Et il sortit de la
chambre.

Dans le corridor de l'hôtel, il ne rencontra qu'un
garçon qui bâillait en frottant le parquet, et qui ne
prêta pas d'attention à sa tenue. Il emportait pour
tous bagages un sac à main, un pardessus d'hiver
et sa canne.

Pour gagner la gare d'Orta, le plus court était
de traverser le Mont Sacré. La lune, qui pâlissait
devant les menaces du matin, pénétrait, comme
avec crainte et mystère, dans le bois à demi dépouillé. Entre les troncs élancés des pins et des
mélèzes, ses lueurs glissaient jusqu'aux feuilles
mortes qui jonchaient le sol, se posaient sur les
façades des chapelles. Lorsque Maurice fut parvenu devant la quinzième, il leva la tête et s'arrêta.
Les sveltes colonnettes se détachaient en blanc,
et l'une ou l'autre se reflétait en ombre noire sur
le mur.

Il monta les marches et se retourna pour embrasser d'un dernier coup d'œil le paysage familier. La margelle du puits, les formes claires de
quelques-uns des sanctuaires surgissaient autour
de lui comme des apparitions. Il distinguait en
face les montagnes sombres, et de chaque côté de
la colline, des parties du lac. Déjà il ne pouvait
plus apercevoir l'hôtel du Belvédère que suppri-

mait la pente. C'était cela, pourtant, qu'il cherchait. Ces pierres qu'il foulait, ces arbres, ces chapelles et tous ces contours indécis à qui, tout à
l'heure, le soleil restituerait leur valeur, il les emportait dans sa mémoire. Tant qu'il aurait la force
de se souvenir, il les reverrait dans leur intégrité,
non pour leur grâce particulière, mais comme le
décor accessoire qui se subordonne à la figure
principale. A distance, cette figure principale, fleur
unique de sa jeunesse, exerçait encore sur lui une
fascination. Au lieu de fuir, de fuir sans regarder
en arrière, il demeurait immobile, à cette place
qu'elle affectionnait et qu'elle était venue occuper,
ses roses dans les mains, la veille de leur anniversaire, le dernier jour de leur bonheur.

Dans *leur* chambre, elle dormait, délicieusement
lasse. Dans une heure, dans deux heures, peut-
être plus tôt, quand elle se lèverait pour le rejoindre,
elle trouverait sur la table à coiffer la lettre meur-
trière qui lui annoncerait, avec des mots de tendresse, la séparation. Elle ne comprendrait pas
tout de suite. Les papiers contenus dans l'enveloppe la renseigneraient mieux. C'étaient la note
de l'hôtel acquittée, quelques billets de banque et
les reçus de dépôt donnés à son nom par la Banque
internationale de Milan, complétés par le chèque
de Marguerite Roquevillard que Maurice avait
endossé. Là elle reconnaîtrait l'intervention qui la
brisait. La famille qu'elle avait vaincue lui reprenait son amant. Alors elle pousserait un grand cri
de douleur. Si loin qu'il serait d'elle, il l'entendrait
toujours retentir en lui-même...

Au bois, la lumière de la lune se dissipait dans

celle du matin. L'heure passait. Appuyé à l'une des colonnes, Maurice ne pouvait se décider à partir.

« Où donc, se disait-il, ai-je pris le courage de briser son cœur et le mien ? Elle est là, tout près de moi encore. Si je rentrais, elle ne saurait pas. Son réveil serait doux et léger. Mais non, je ne la reverrai jamais plus. Il est des liens que l'amour ne peut pas supprimer. Le bonheur, je le comprends, n'est pas un droit. Je la torture et je l'aime. Le mal qu'elle m'a fait était involontaire. Je ne me souviens plus que d'avoir senti la vie auprès d'elle à chaque minute, et pourtant avec elle je ne puis plus vivre... Edith, te rappelles-tu le passé ? Tu m'as donné des fleurs le premier soir. Et puis, tu m'as donné tes lèvres, comme tes fleurs, sans hésiter. Lorsque tu m'as dit : « Je serai à toi, mais à toi seul, quand tu voudras », j'ai senti d'avance tes caresses qui se sont incorporées à ma chair. Ah ! parce que tu es trop sensible aux caresses, parce que maintenant même que tu vas souffrir par ma faute, ta faiblesse me fait trembler pour l'avenir, ne crois pas que je t'aime moins, et de savoir que par là je puis te perdre un jour, Edith, je ne devrais pas le penser, mais peut-être je t'aime davantage encore... Quel souvenir garderas-tu de moi ? Entre deux automnes a tenu notre amour. Tu préférais cette saison où la nature s'exalte. Je retrouvais son or dans tes yeux, et sa fièvre dans tes bras. Je découvrais en elle un voluptueux enthousiasme. Maintenant, je la vois pareille aux chrysanthèmes du cimetière d'Orta. Elle cachait la mort. Oui, la mort, comprends-tu ? Je ne t'ai pas

dit adieu, et c'est fini. C'est comme la mort pour
nous. Tu pleureras, tu parleras, tu marcheras, tu
seras pour d'autres un être vivant, un être de grâce
et de jeunesse ; mais pour moi qui ne saurai plus
rien de toi, tu seras morte. Et mieux vaudrait que
tu fusses morte, en effet ! tu ne me maudirais pas,
moi qui t'aime et qui dois égorger notre amour... »

Le sifflet d'un train l'arracha brutalement à cet
état de désespoir où peu à peu sa volonté s'alanguissait. Avait-il laissé passer l'heure ? Non, ce
devait être l'express qui descend à Novare et qui
précède de quelques minutes celui qui monte à
Domodossola. Cet appel opportun le rendait à sa
décision. Il abandonna la chapelle, traversa le bois
en courant, et gagna la gare. Sur les monts, le
matin naissait et la lune se désagrégeait dans
l'espace.

Il prit un billet pour Corconio, station toute voisine d'Orta, mais dans le sens opposé à la direction
qu'il allait suivre, afin d'empêcher les recherches
d'Edith qui peut-être essaierait de le rejoindre. En
route, il prétexterait une erreur.

Jusqu'à Omegna, la voie ferrée longe de haut le
petit lac. Dans le wagon, Maurice s'assit au rebours
et se pencha à la portière afin que son regard prît
l'empreinte de ces lieux qui lui appartenaient. Au
jour levant, les eaux se moiraient de légers fris-
sons. Les arbres de la presqu'île montraient leurs
fûts élancés et l'essor de leurs branches. Là, il
avait connu le bonheur. Le train quitta Omegna.
En vain il tenta d'apercevoir encore Orta Novarese,
de retenir avec ses yeux, avec son cœur, ce paysage
qui fuyait. Les secondes qui accroissaient la dis-

tance tombaient comme des pierres au gouffre. Une à une il entendait leur chute.

Une heure plus tard il arrivait à Domodossola, petite ville italienne appuyée aux grandes Alpes, que baigne la Tosa rapide et verte en amont du lac Majeur. De là part la diligence qui relie l'Italie à la Suisse en traversant le col du Simplon. Avec de bons attelages et des relais bien échelonnés, elle parcourt en douze heures les soixante-quatre kilomètres qui séparent le val d'Ossola de la vallée du Rhône.

La traversée coûte près d'un louis. Pour s'acquitter complètement envers Edith, Maurice avait presque épuisé ses ressources. Il avait consulté les indicateurs. Par Turin, le trajet était plus cher. Quand il aurait payé le parcours en troisième classe d'Orta à Domodossola et de Brieg à Chambéry, il ne devait plus lui rester en poche, d'après ses calculs, que le prix de trois ou quatre repas très modestes. C'était véritablement le retour de l'enfant prodigue. La pénurie qui l'assimilait aux humbles ouvriers avec lesquels il partageait son compartiment, il la supportait sans déplaisir. Par de mesquins soucis, elle le détournait de sa peine. D'ailleurs, il n'avait pas d'inquiétude réelle. Il savait comment on opère pour économiser la voiture et les coûteux hôtels de Brieg. Au sommet du col, l'hospice du Simplon, comme celui du Grand Saint-Bernard, donne l'hospitalité gratuite aux pauvres gens qui passent la montagne, et les touristes eux-mêmes en profitent sans vergogne. Son voisin, un Piémontais qui connaissait le pays, acheva de le renseigner : « L'hospice est toujours ouvert. Le jour et la nuit, la nuit et le jour. La nuit, on entre, on cherche une chambre au premier étage sans demander rien à personne. »

Ainsi les difficultés du voyage se simplifiaient. Il franchirait le Simplon à pied, et coucherait à l'hospice. A Domodossola, point extrême de la voie, il descendit du train et passa fièrement à côté de la diligence qui stationnait devant la gare et qui, une fois chargée, ne tarda pas à l'atteindre au trot de ses cinq chevaux dont l'ardeur est toute fraîche au début de l'interminable ascension. Le conducteur évalua du regard ce jeune homme bien vêtu qui tenait un sac à la main et ne craignait pas d'user ses souliers. Il mit son attelage au pas, fit claquer son fouet pour attirer l'attention, et du geste galant dont on offre un bouquet à une dame, il offrit une place libre dans le coupé.

— Merci, répondit Maurice, je vais à pied.

— Impossible, impossible à des jambes de *seigneur*. Et quel retard ! je suis sûr que la *signorina* vous attend.

— Personne ne m'attend.

— Ah ! tant pis. Un bon feu, une soupe chaude et une femme, c'est agréable à l'arrivée.

Et ramassant les rênes, il secoua ses bêtes. Bientôt la voiture fut hors de vue. Rendu à l'isolement, Maurice continua sa route. Lentement il s'élevait au-dessus du val. Avant d'entrer dans les étroites gorges des Alpes, il cueillait, en se retournant, les derniers sourires de la grâce italienne. Sur la plaine sinueuse qu'arrosait la Tosa, elle fleurissait, et sur les pentes boisées, même sur les rampes abruptes que décoraient des buissons d'or,

Au soleil, il était visible que ce pays cherchait à
plaire en dépit des sévérités de la montagne. Les
paysannes qui descendaient à la messe, — c'était
un dimanche, — portaient des fichus de couleur
qui leur retombaient en pointe sur le dos, et des
jupes courtes et bariolées. Les premières, elles
saluaient les passants d'un gentil bonjour dont le
jeune homme s'attendrissait. Il avait l'impression
qu'il s'exilait volontairement. Edith n'était-elle
sa patrie ? Edith ! Elle s'éveillait à cette heure, elle
savait... Et il accéléra sa marche pour oublier son
mal dans la fatigue.

Il avait réparti en trois étapes les 64 kilomètres
du parcours : Iselle, 18 kilomètres ; le col, 22 ;
Brieg, 24. Il pensait déjeuner à Iselle, atteindre le
col, qui est à 2.000 mètres d'altitude, pour dîner et
coucher à l'hospice, et descendre sur Brieg le lendemain matin, assez tôt pour y prendre le train de
Lausanne et Genève qui, à la frontière française,
trouve la correspondance de Savoie. Le lundi
à six heures du soir, il débarquerait à Chambéry.

Iselle, que précède un petit vallon verdoyant, est
le dernier village avant la Suisse. On y a véritablement l'impression qu'il faut ici dire un adieu mélancolique à l'Italie. Bâti en longueur sur les bords
de la route de Napoléon, il est déjà enfermé entre
deux murailles hautes de quatre à cinq mille pieds,
mais il suffit encore de regarder en arrière pour
apercevoir des prairies, quelques bouquets d'arbres,
et comme une ouverture de clarté à travers les
montagnes. Les grelots de la diligence qui relaie
à Iselle et les exercices des douaniers qui, distin-
gués et farauds comme des soldats, portent le nom

majestueux de *gardes des finances,* animaient seuls
jadis le petit bourg, quand au mois d'août 1898
commencèrent les travaux de la nouvelle voie
ferrée creusée à travers les Alpes. Comme par
enchantement la population quadrupla. Des cités
ouvrières se bâtirent, et aussi de petites villas avec
des jardins pour les ingénieurs et contremaîtres.
Alberghi et *trattorie* se multiplièrent, avec des
enseignes à la gloire du Simplon et l'annonce d'un
asti pétillant.

Toute cette population flottante était sur pied, à
cause du dimanche. Des cloches sonnaient la sortie
de la grand'messe quand Maurice arriva. Il croisa
le cortège des femmes qui, le paroissien à la main,
rentraient au logis, tandis que les jeux de boules
accaparaient les hommes, et que de chaque guin-
guette sortaient, avec une odeur de cuisine, des
sons de guitare et d'harmonica. Il mangea pour une
somme modique dans une *osteria* de chétif aspect,
en compagnie de bruyants convives. Au lieu de
profiter du jour et de brusquer le départ, — la
nuit en novembre tombe si vite, — il s'attarda sans
prévoyance comme s'il préférait le tapage le plus
vulgaire à la solitude. Il ne pouvait se décider à
franchir la frontière. Il y voyait l'image matérielle
de la rupture, il se rattachait éperdument à son
amour. Jusque dans cette salle enfumée où le
vacarme assourdissant qui l'empêchait de penser
allégeait sa douleur, il lui semblait demeurer en
communication lointaine avec Edith.

Un peu avant les gorges de Gondo où mugissent
des cascades, il trouva la borne qui marque la
séparation des deux pays. Et après l'avoir dépassée,

il sentit l'ombre qui envahissait son cœur avant même de recouvrir le morceau de terre amincie où il cheminait entre deux rochers. En levant la tête, il vit les dernières lueurs roses se retirer du ciel. La nuit qui le surprenait beaucoup plus tôt qu'il ne l'avait prévu dans son itinéraire, ne lui permit pas de prendre le raccourci qui évite le long contour d'Algaby. Il parvint déjà tard, et fatigué, au village de Simplon où il soupa et se reposa.

Quand il se remit en route, l'obscurité et le silence l'attendaient sur le seuil de l'auberge. Il les accueillit comme les compagnons naturels de son triste voyage. Il accomplissait un devoir : peu lui importaient désormais les conditions. N'avait-il pas tué de ses propres mains son bonheur, et les meurtriers ne méritent-ils pas d'expier ? C'était le temps où la lune décroît. Elle ne se montra qu'à onze heures du soir, comme il approchait du sommet du col. A sa clarté il se découvrit seul dans un cirque désert et désolé, entouré de la neige qui rend tous les objets uniformes. Il ne s'entendait même pas marcher. Son ombre lui tenait une compagnie inquiétante qui s'allongeait, s'amincissait, disparaissait et renaissait.

Le souffle court et les jambes rompues, depuis longtemps il explorait des yeux l'horizon pour y découvrir l'hospice. Aurait-il passé devant sans le voir ? La lassitude ne lui permettait plus d'évaluer les distances. Et puis, à quoi bon tant d'efforts. Il n'avait qu'à se laisser choir au bord du chemin Sur la neige, il serait bien pour dormir ou pour mourir. Ce serait fini de penser, fini de marcher.

— Edith ! murmura-t-il tout haut.

Au son de sa propre voix, il s'arrêta et tressaillit comme si on l'avait appelé. N'était-ce pas elle qui l'appelait une fois encore, une dernière fois ? Il irait la rejoindre sans peine. Déjà il ne sentait plus ses jambes. Il glisserait vers elle doucement, comme ces rayons de lune sous la neige. L'excès de fatigue, le froid, la raréfaction de l'air et aussi le désespoir lui donnaient une hallucination. Dans cet état d'épuisement, celui qui s'arrête est perdu. Il ne peut plus remettre un pied devant l'autre. C'est un mécanisme brisé.

— Edith ! prononça-t-il encore.

Et il sourit. Aucune angoisse ne l'étreignait. C'était si simple de s'asseoir et d'attendre. Devant lui, sur la droite, les glaciers du Monte Leone brillaient en tremblant comme si quelque mouvement les animait. Il lui parut que tout l'horizon blanc se déplaçait, rétrogradait vers l'Italie. Il connaissait, avec l'engourdissement, une sorte de béatitude. L'instinct de la conservation ou la curiosité du mirage lui maintenaient les yeux ouverts quand le sommeil l'envahissait, mais il n'avait plus envie de remuer. Le silence de la montagne que la neige et la lune paraissaient élargir emplissait tout l'espace et montait jusqu'aux étoiles.

Dans cette fuite du paysage où il se laissait couler, il y eut un temps d'arrêt, occasionné par la chute de son sac qu'il avait lâché machinalement. Le geste qu'il fit pour le retenir brisa le sortilège. A la difficulté de se mouvoir il comprit le danger.

« Mais je vais mourir ! se dit-il brusquement. Là, tout seul, dans ce désert. »

Mourir ! Edith, vers qui il croyait redescendre,

disparut instantanément de sa pensée, comme une sirène au fond de la mer, et fut remplacée par le pays de son enfance, par le coteau de la Vigie. par sa famille.

« Ils m'attendent. »

Etait-ce un talisman contre la mort, ce rappel des premières années qui substitue des images de durée aux tentations de fin, aux désirs d'anéantissement ? Sa jeunesse aidant, il récupéra quelque énergie. Il souleva ses pieds successivement, comme s'il les dégageait d'une boue tenace où ils se seraient enfoncés. Il se traîna plutôt qu'il ne marcha sur une étendue de quelques mètres. Maintenant il avait peur et se raidissait contre le péril dont il devinait la présence à son côté, qui l'accompagnait pas à pas dans cette solitude comme un ennemi guettant ses défaillances. Il savait qu'au bord de la route, près du col, des refuges en planches offrent de distance en distance un abri aux voyageurs surpris par la tempête ou le froid. A la découverte de l'une de ces baraques il bornait toute son ambition. Alors il aperçut au bas du Monte Leone une frêle lumière qui brillait à peine dans la nuit trop claire. Tout petit, serré contre l'énorme masse de la montagne, c'était l'hospice dont la porte demeure toujours grande ouverte et même désignée par une lampe. Du moment qu'il voyait le but, il était sauvé. Il ne quitta plus du regard cette lueur qui l'encourageait. Bientôt le bâtiment prit son importance réelle, haut et large en grosses pierres de taille. Enfin, il gravit le perron et entra. Des chiens, du fond d'un chenil éloigné, signalaient son arrivée. Mais dans le corridor où le clair de lune en-

trait, il ne rencontra personne. Le laisserait-on en
détresse au port même ? Dans son état de fatigue,
il allait se coucher sur la pierre quand le renseignement du Piémontais lui revint en mémoire :

— La nuit, on entre, on cherche une chambre
au premier étage sans demander rien à personne.

Il monta l'escalier, tâta une première porte qui
était fermée, puis une seconde qui céda. Il se
trouva dans une chambre simple mais confortable,
meublée d'un lit aux draps frais et largement
pourvu de couvertures, d'une table de toilette, d'une
commode, de deux ou trois chaises et d'un tapis.
Devant cette installation, il sourit de plaisir. On
avait poussé la prévenance jusqu'à placer sur
la commode, de manière à attirer l'attention, un
flacon de rhum, un verre et un sucrier. La liqueur
le réconforta. A vingt-cinq ans, le danger s'oublie
vite.

« Je suis ici chez moi, comme un voleur », se
dit-il plaisamment, tout disposé à estimer de nouveau la vie. Mais sa réflexion le fit tressaillir.
Comme un voleur, en effet. N'avait-il pas été condamné pour vol ? Le souvenir de la honte lui gâta
son plaisir. Il se coucha rapidement. Les épaisses
couvertures lui communiquèrent une chaleur bien-
faisante. Sa fatigue était si grande qu'il s'endormit
aussitôt, sans même songer que c'était la première
nuit qu'il passait loin d'Edith et hors de l'Italie,
depuis son départ de la maison paternelle.

Le lendemain, il se réveilla trop tard pour descendre sur Brieg. Les religieux, mis au courant
des péripéties de son voyage, le gardèrent une
journée et le restaurèrent de leur mieux. Il refusa

de prendre la diligence, mais sa fierté l'empêcha
d'en révéler le motif. Ce fut une journée de repos,
de distraction, presque d'oubli. Dans cette thébaïde,
perdue à deux mille mètres d'altitude, il montra
une gaîté d'enfant, interrompue de temps à autre,
assez rarement, par de brusques accès de tristesse.
Il mangea comme un ogre, se promena aux abords
de l'hospice pour dérouiller ses jambes raidies,
caressa dans leur chenil les molosses à longs poils,
admira les effets du soleil sur les glaciers et la
diversité des petits cristaux de neige, exprima
plusieurs fois son désir de demeurer plus longtemps dans la montagne, et se coucha de bonne
heure. Personne n'aurait pu supposer qu'il venait
de quitter la plus chère des maîtresses et qu'il rentrait en France pour se constituer prisonnier. Au
milieu des plus grands chagrins, il est ainsi des
oasis inattendues que nous ménage la faiblesse de
notre nature incapable de se fixer dans la douleur,
ou ce brutal instinct de vivre qui nous soutient
malgré nous.

Le mardi, à quatre heures du matin, il quitta
l'hospice, après avoir mangé un peu de pain et de
fromage que la veille au soir le Père chargé du
soin des étrangers avait à toute force voulu qu'il
emportât de table pour son déjeuner du lendemain.
Encore en garda-t-il la moitié en prévision de la
route, n'étant pas certain qu'il lui restât en poche
plus d'argent que le prix de son billet, à cause du
repas supplémentaire qu'il avait dû prendre au
village de Simplon. Personne n'était levé. Il partit
comme il était venu, secrètement. Comme le soir
de son arrivée, la porte était grande ouverte.

Dehors, au lieu de la lune dont il espérait le concours amical, il se heurta à l'obscurité. Sur le perron, il sentit la neige.

Il fallait se hâter, la descente devenant moins facile. De la route, il se retourna pour chercher dans l'ombre le bâtiment noir et lui adresser un regret. Raffermi, il marchait à l'avenir sans crainte. La paix de la montagne, celle des religieux, avaient calmé son cœur sans qu'il s'en doutât. D'un pas délibéré, il allait reconquérir au foyer sa place dont une passion accidentelle l'avait détourné. Le geste de hasard auquel il devait son salut l'avait en même temps restitué à lui-même. Il rentrait dans la vie normale de la façon audacieuse et romanesque dont généralement on s'en écarte, et il savourait son sacrifice avec une ardeur tout amoureuse.

Sans doute la neige tombait depuis plusieurs heures, car le chemin n'était pas frayé. Il avançait avec la crainte permanente de perdre la route qui longe des abîmes. Elle traverse, peu après le sommet du col, deux ou trois tunnels taillés dans le roc. L'obscurité, dans ces tunnels, était si intense qu'il croyait être devenu aveugle au fond d'une cave. La canne en avant dans la main droite, et le bras gauche tendu malgré le sac qu'il tenait, il marchait à tâtons, enfonçant à chaque pas dans les flaques d'eau que fait la roche en s'égouttant, et il sentait la sortie à l'air froid bien plutôt qu'en recouvrant la vue.

Des obstacles de la route durcissaient son courage. Il faut aux jeunes gens des épreuves, et s'ils recherchent tant l'amour, c'est plus encore frénésie de vivre que volupté. Celui-ci qui fuyait le bonheur, pareil à un mendiant, ne souffrait point d'avoir tout perdu. Il luttait bravement contre le froid, la neige, la nuit et la peur, et ce combat l'échauffait.

Le jour se leva peu à peu, mais il y gagna peu de chose. Le brouillard blanc que formaient les flocons le baignait de toutes parts, comme la mer un îlot. Cette route qui est si pittoresque et découvre au regard les Alpes bernoises, le glacier d'Aletsch, les contreforts magnifiques et divers de la vallée du Rhône, lui paraissait creusée dans du coton. Parfois, à dix pas de lui, un sapin chargé de givre se détachait au bord. Et après l'avoir dépassé, il cherchait un autre point de repère. Dans cette monotonie fastidieuse, il atteignit Brieg. Ce fut la fin de la période héroïque.

La journée de wagon fut longue et pénible malgré le voisinage de plus en plus immédiat de la terre natale. Il descendit à six heures du soir au Vivier, qui est la gare la plus proche de Chambéry. La crainte chimérique d'être reconnu et arrêté en débarquant du train lui inspira cette résolution. Il s'achemina donc à pied par la route d'Aix. Elle passe au-dessous du calvaire de Lémenc.

— Edith ! soupira-t-il, en s'arrêtant à cet endroit.

Il comprit à quel point ces trois jours l'avaient séparé d'elle. Et comme il l'aimait, il s'affligea de sa cruauté. Puis il s'approcha du garde-fou qui protège la route creusée à flanc du coteau. Les feux de Chambéry brillaient. Il s'orienta.

— Le cimetière. La maison.

Sa première visite fut pour sa mère. Le champ

des morts était clos et il ne put y pénétrer. Alors,
par des rues tortueuses, il gagna la maison. Une
horloge sonna huit heures. Il était glacé, il avait
faim : où aller, sinon là ? Le cœur battant, il
pressa le timbre. Une servante nouvelle lui ouvrit
la porte, et, au lieu de pénétrer librement, il dut
demander d'une voix indistincte :

— Mademoiselle Roquevillard.

On le laissa dans l'antichambre. Humilié, vaincu,
il fut tenté de s'enfuir, d'aller n'importe où. Quelle
force étrange l'avait poussé par les épaules jusque
sous le toit paternel ?

Marguerite parut et se jeta dans ses bras :

— Toi, Maurice, toi.

Et comme il se raidissait pour ne pas pleurer,
elle ajouta doucement :

— Depuis hier, je t'attendais.

Elle l'emmena à la salle à manger. Abattu,
désemparé, il s'abandonnait à ses soins. Le cou-
vert n'était pas encore enlevé.

— Et père ? demanda-t-il enfin avec un peu de
crainte.

— Après le dîner, il s'est enfermé dans son
cabinet pour travailler, pendant que je déshabillais
le petit Julien. Je vais le prévenir.

— Non, Marguerite, n'y va pas.

— Pourquoi ?

— Je ne sais pas.

Et après un lourd silence, il murmura :

— Alors... il a bien changé ?

— Oui.

Il avait faim et il n'osait pas manger des plats
qu'elle allait chercher elle-même à la cuisine. Elle

le comprit, et, quand elle le vit absorbé, elle s'éloigna pour courir au cabinet de son père.

— Père, il est là.

M. Roquevillard, penché sur un dossier, se leva brusquement. Ce fut un mouvement involontaire. Tout de suite il se posséda :

— C'est bien tard pour revenir.

— Ne le verrez-vous pas ? Il est si malheureux.

M. Roquevillard réfléchit et répondit avec effort :

— J'irai le voir demain, à la prison, pour organiser sa défense. Pas ce soir.

Et comme Marguerite s'en affligeait, il l'attira sur sa poitrine.

— Toi, dit-il, occupe-toi de lui. S'il est fatigué, veille à son repos. Demain seulement il ira se constituer prisonnier.

— Père, pardonnez-lui. Pour maman...

— Un jour, Marguerite, j'espère qu'il méritera mon pardon. Maintenant, je ne puis oublier si vite le mal qu'il nous a fait en partant. Je veux qu'il le comprenne, qu'il le mesure. C'est nécessaire pour notre passé et pour son avenir. Mais ne pleure pas. Je n'ai pas cessé de l'aimer. Son retour me fait du bien...

Plus tard, bien plus tard, dans le silence de la nuit. M. Roquevillard sortit de sa chambre et vint, à pas de loup, jusqu'à la porte de son fils. De la main, il cachait la flamme du bougeoir. Un instant il écouta le souffle léger et régulier qu'il entendait à peine. Un mince sourire éclaira sa figure énergique que la douleur avait ravagée :

« Il est là. C'est l'essentiel. Je le sauverai, et, avec lui, toute la race... »

TROISIEME PARTIE

―――――――

I

LE COMPAGNON D'ARMES

Lorsque Marguerite Roquevillard entra, comme chaque jour, dans le cabinet de son père pour allumer la lampe et tirer les rideaux, et surtout pour lui prendre une part de soucis, elle le trouva qui suivait à la fenêtre la chute rapide du soir.

— C'est toi, dit-il. Il ne faisait plus assez clair pour travailler.

Il s'excusait de sa rêverie comme d'une faiblesse. Mais elle savait la cause de cette préoccupation qu'il n'avouait pas.

— Ces messieurs ne sont pas encore venus ? demanda-t-elle.

— Je les attends d'un moment à l'autre. Ils ont dû voir Maurice à la prison cet après-midi.

— Qui plaidera ? Sera-ce M. Hamel ?

— Non. Maître Hamel est le bâtonnier de notre ordre. Maurice étant inscrit au barreau, j'ai prié le bâtonnier de s'occuper de sa défense. C'est une tradition. Maître Hamel nous donnera l'appui d'un demi-siècle d'honneur professionnel, mais il s'estime trop âgé et trop spécialisé dans les questions de droit civil pour porter la parole. Il veut en charger maître Bastard qui, de tous nos confrères, est le plus réputé aux assises et qui exerce en effet une grande influence sur le jury.

La jeune fille, à ce nom, fit un peu la moue.

— Je l'ai entendu, père. Vous parlez mieux que lui.

Mais le vieil avocat se fâcha presque :

— Je ne parle pas bien, petite. Je dis simplement ce que j'ai à dire.

— Pourquoi ne le défendez-vous pas, vous ?

— C'est impossible, voyons. Ne le comprends-tu pas ?

Elle vint à lui et, lui posant une main sur l'épaule, elle appuya la tête à sa poitrine. De là, elle murmura doucement :

— Lui avez-vous pardonné ?

— Il ne me l'a pas demandé.

— C'est qu'il souffre.

— Oui, peut-être. Le sort le frappe cruellement. Lui, du moins, l'avait provoqué.

— Souvenez-vous de maman.

Il se pencha pour embrasser le front de sa fille.

— Ne me demande pas d'être faible, Marguerite. Je l'ai visité deux fois à la prison. Je l'ai trouvé muré dans son orgueil. Il ne m'a témoigné aucun regret de sa conduite qui nous a causé tant de maux. Je n'attends qu'un mot de lui pour lui pardonner, et nous n'échangeons que des propos insignifiants.

— Avec moi, il pleure sur notre mère. Avec vous, il n'ose pas.

— C'est à moi de l'attendre. Je l'attendrai.

Marguerite inclinée ne vit pas la douceur triste qui, répandue sur le visage vieilli, atténuait la fermeté des paroles. Elle répéta :

— Il souffre. Il est malheureux.

— Et nous ? dit M. Roquevillard.

Il souleva délicatement la tête de la jeune fille, et changeant de conversation, à son tour il interrogea :

— Qu'as-tu fait cet après-midi ?

— J'ai promené le petit Julien. Puis j'ai écrit longuement à Hubert.

— Ah ! moi aussi.

Hubert leur était encore un sujet d'inquiétude. La dernière lettre venue du Soudan annonçait que l'officier avait pris les fièvres, et qu'il était malade, dans une case isolée, sans médecin. Il plaisantait lui-même sur cette malencontreuse fatigue sans gravité, mais un certain accent détaché contrastant avec une formule plus affectueuse d'adieu avait frappé et profondément affecté son père et sa sœur. Il se turent, le cœur serré. Marguerite alluma une lampe pour chasser l'obscurité qui emplissait la pièce de mauvais présages. Comme elle laissait tomber les rideaux, on frappa à la porte.

— Ce sont eux, dit M. Roquevillard.

Et la jeune fille n'eut que le temps de disparaître par la porte qui communiquait avec l'appartement. Déjà l'avocat s'avançait pour recevoir ses visiteurs. M. Hamel entra le premier, suivi de M. Bastard.

Le bâtonnier jouissait, au barreau de Chambéry, d'une estime respectueuse, que son grand âge, sa science juridique et la dignité de sa vie imposaient. C'était un vieillard de soixante-quinze ans, si maigre qu'il flottait presque dans la redingote élimée dont il assurait avec obstination qu'elle durerait autant que lui. L'hiver, il ne prenait pas la peine de passer

les manches du pardessus d'une coupe surannée
dans lequel il se drapait. Son visage rasé portait
une couronne de cheveux blancs soulevés en désordre, et ses joues sans couleur paraissaient dia-
phanes. Sa haute taille se voûtait comme ces
peupliers trop grêles que tord le vent. Mais son
caractère ne s'était jamais courbé. Rien ne l'avait
pu faire dévier de la ligne de conduite que ses
fermes convictions avaient de bonne heure choisie
dans le sens de ses traditions de famille. L'abord
froid et distant, la voix brève, il montrait autant de
rigidité dans les principes que de fière courtoisie
dans les relations. Il manifestait sa grandeur dans
les circonstances ordinaires comme dans les importantes. La fortune et l'adversité avaient trouvé son
âme égale. Pourtant il avait connu celle-ci principalement sur le tard et quand l'homme, à la fin de
sa journée, a droit au repos. Les mauvaises spécu-
lations d'un fils l'avaient ruiné. Il s'était remis
simplement au travail pour gagner le pain quoti-
dien. Rarement à la barre, il était le conseiller auquel on songe dans les affaires délicates, dont on
n'attend rien que d'équitable et de droit. On ne le
voyait guère hors de son cabinet de consultation,
petite pièce obscure et pauvre, où l'on venait
lui soumettre spécialement des transactions et des
arbitrages comme à un juge souverain. S'il en
sortait, c'était le soir, pour gagner l'église d'un pas
encore rapide, l'air frileux et pressé, indifférent
au monde extérieur, écoutant la voix de Dieu dont
il attendait l'appel avec une patience résignée.

Malgré leur grande différence d'âge, une de ces
anciennes amitiés que la parité d'existence et la

communauté de luttes fortifient au point de les
assimiler aux liens du sang, l'unissait à M. Roquevillard dont il avait protégé les débuts professionnels et qui, de son côté, l'avait soutenu dans l'effondrement de sa situation matérielle, tenant tête
aux créanciers, obtenant des délais, organisant au
mieux les ventes et les paiements. Lorsque le
cadet fut frappé à son tour, l'aîné sortit de sa
retraite. Mais il sentait la glace des années et son
impuissance.

La renommée lui imposait Mᵉ Bastard comme
second. Ce jeune homme, — c'est ainsi que le
vieillard l'appelait malgré ses quarante-cinq ans,
— ne laissait pas de l'inquiéter par un certain
cynisme dans la conversation, et le parti pris de
considérer les procès au point de vue spécial des
honoraires. Mais à la barre, il était redoutable
comme une armée ; ironique et lyrique tour à tour,
railleur ou émouvant, modulant sa voix comme un
ténor et ses gestes comme un acteur, il se posait
tout de suite en premier rôle, étalait sa grande
barbe, ses traits réguliers, sa calvitie luisante
comme des insignes d'autorité, s'agitait, se démenait, dominait toute la scène et finalement escamo-
tait jurés, juges, adversaires dans les plis de sa
toge qu'il déployait comme un étendard. Il fallait
tenir compte de cette supériorité incontestable aux
assises, et M. Hamel, humble serviteur de la vérité
qui détestait tout appareil d'éloquence et de décla-
mation, avait imposé silence à ses goûts person-
nels pour mieux assurer l'acquittement du fils de
son ami.

Bien que M. Roquevillard l'eût toujours tenu

à distance, et bousculât sans pitié à l'audience ses
habiletés et ses séductions par une tactique simple
qui consistait à courir droit au but avec la vitesse
d'une charge de cavalerie, telle était la force de
l'assistance confraternelle que M. Bastard avait
accepté avec empressement de prendre la défense
de Maurice et s'y montrait déjà actif et résolu.

Après un échange de poignées de main, le
bâtonnier résuma la situation en quelques mots :

— Vous savez, mon cher ami, que j'ai prié
notre confrère Bastard de nous venir en aide. Je
suis trop vieux et je ne sais pas émouvoir. Il plaidera : je l'assisterai. Nous avons étudié le dossier
ensemble et vu votre fils à la prison. Une difficulté
se présente.

— Laquelle ? demanda le père anxieux.

— Bastard vous l'expliquera mieux que moi.

Celui-ci agita sa belle tête avec importance.
Assez avisé pour juger tout effet inutile dans ce
cabinet, il se contenta d'un exposé clair et bref.

— Oui, j'ai étudié le dossier. Le fait matériel de
l'abus de confiance est démontré par la déclaration
du notaire et par le procès-verbal du commissaire
de police. Des preuves contre votre fils, je n'en
trouve pas, mais des présomptions graves. Il avait
connaissance du dépôt d'argent, il est demeuré le
dernier à l'étude après s'être fait remettre les
clefs, il a pu découvrir le secret du coffre-fort sur
l'agenda du premier clerc où le chiffre était inscrit,
il était sans grandes ressources personnelles et il
voulait enlever la femme de son patron. Avec cela
on échafaude un réquisitoire. Ajoutez le départ
pour l'étranger, le silence, le retour tardif. La dé-

position du nommé Philippeaux, surtout, est pleine
de fiel. Ce garçon-là devait être jaloux de son collègue plus favorisé. Je le soupçonne d'une passion
malheureuse pour Mme Frasne. C'était une femme
fatale. Un peu maigre, mais de beaux yeux. Mon
type n'est pas celui-là.

D'une qualité d'âme inférieure, il ne sentit pas
que cette réflexion était déplacée et que la présence
du père de l'accusé l'obligeait à plus de réserve. Il
reprit après une pause :

— Il ne suffit pas de protester de son innocence.
Le vol étant admis, le jury cherchera un coupable.
Il faut le lui désigner. L'offensive, je l'ai souvent
remarqué, est d'un résultat plus sûr que la défensive. Elle détourne l'attention pour la concentrer
ailleurs. Je la pratique toujours avec succès. Or,
en l'espèce, le vrai coupable est tout désigné.

Il s'empara du code sur la table et feuilleta.
Ses deux interlocuteurs l'écoutaient sans l'interrompre :

— Notez que Mme Frasne ne court aucun risque.
Elle est couverte par l'article 380 : *Les soustractions
commises par des maris au préjudice de leurs femmes,
par des femmes au préjudice de leurs maris... ne
peuvent donner lieu qu'à des réparations civiles.*

— Nous le savons, observa M Hamel.

— En famille, on ne se vole pas. Ce n'est donc
pas dénoncer Mme Frasne à la vindicte publique
que la désigner. Mais il y a mieux encore. Mon
instinct ne me trompe guère. J'ai mis la main sur
le contrat de mariage des époux Frasne. Je pensais bien y découvrir quelque chose. Par l'entre-
mise d'un avoué de Grenoble, je m'en suis procuré

une expédition. Et j'y ai trouvé la preuve que
Mme Frasne, en prenant cent mille francs dans le
coffre-fort de son mari, a pu croire qu'elle se rem-
boursait elle-même.

— Je ne comprends pas, dit cette fois M. Roquevillard.

— Vous allez comprendre. C'est d'une clarté
aveuglante. Son mari, par ce contrat, lui constitue
une donation de cent mille francs.

— En cas de survie ?

— Non, immédiate. Mais naturellement, elle était
révocable en cas de divorce, et l'époux en conservait l'administration. Le régime est la séparation
de biens. Néanmoins, Mme Frasne, ignorante de
la loi, aura supposé qu'elle était propriétaire de
cette somme et qu'en abandonnant le domicile conjugal elle avait le droit de l'emporter. C'est un raisonnement absurde, mais par là même, c'est un raisonnement de femme. Ainsi je m'explique pourquoi, d'un dépôt de cent vingt mille francs réunis
sous la même enveloppe, le voleur a pris soin de
ne retirer que cent mille. Ce n'est pas un vol, c'est
un remboursement. Mme Frasne a cru exercer un
droit.

— Oui, conclut M. Roquevillard intéressé par une
argumentation aussi solide, le contrat explique tout.

— Et c'est l'acquittement certain, incontestable,
affirma M. Bastard en s'animant et commençant à
agiter ses grands bras. Quel jury résisterait à une
pareille démonstration ? Aux assises, j'ai bien rarement autant d'atouts dans mon jeu.

— Vous ne défendez pas toujours des innocents,
insinua le bâtonnier.

6

— Innocents où coupables, c'est la preuve qui importe. Ici, nous la tenons.

Le père de l'accusé, qui voulait une réhabilitation complète, prit alors la parole :

— La découverte du contrat est en effet un élément très favorable à la défense. Votre éloquence, Bastard, en tirera le meilleur usage, et nous pouvons escompter le succès final. Mais il y a un point que je vous prie instamment de traiter dans votre plaidoirie. Maurice n'est pas parti sans ressources avec Mme Frasne. Il emportait plus de cinq mille francs empruntés pour la plus grande part à ses deux sœurs, à son grand-oncle Etienne et à sa tante Mme Camille Roquevillard, qui en témoigneront au besoin. Dans la ville d'Orta où il était retiré, il a reçu un chèque de huit mille francs délivré par la Société de Crédit, agence de Chambéry, qui en représente le talon. Ces explications sont indispensables à un double point de vue. D'abord elles répondent d'avance à une accusation nouvelle que la partie civile, abandonnant l'article 408 sur l'abus de confiance, pourrait tirer de l'article 380 *in fine*. Le vol entre époux ne tombe pas sous le coup de la loi, c'est entendu, mais le code pénal ajoute : « *A l'égard de tous autres individus qui auraient recélé ou appliqué à leur profit tout ou partie des objets volés, ils seront punis comme coupables de vol.* » Il faut qu'il ne subsiste à ce sujet aucune équivoque. Et cet article n'existerait-il point que je tiens encore essentiellement à préserver l'honneur de mon fils de toute promiscuité d'existence dont il n'aurait point soldé les frais.

— Très bien, approuva M. Hamel.

— Très bien, répéta M. Bastard d'un ton indifférent.

Et M. Roquevillard, dont le visage que la lutte passionnait se rassérénait avec l'espérance de sortir de l'épreuve, conclut en deux mots :

— Maintenant, nous sommes armés et la victoire est sûre.

Le bâtonnier leva sur lui ses yeux tristes, d'un bleu passé, décoloré par l'âge :

— Mon ami, vous avez donc oublié la difficulté dont je vous ai parlé au début de notre entretien ?

Ce fut le retour de l'angoisse.

— Quelle difficulté ?

M. Bastard reprit aussitôt la première place qu'il ne cédait pas volontiers :

— Voilà. Notre beau plan, dont la réussite ne fait pour moi aucun doute, échoue par l'obstination de votre fils.

— De mon fils ?

— Parfaitement. Nous venons de lui exposer, à la prison, comment nous entendions le sauver. Savez-vous ce qu'il nous a répondu ?

— Ah ! je crains de le deviner.

— Qu'il s'opposait formellement à ce que le nom de Mme Frasne fût prononcé par son défenseur et que, s'il l'était, il s'accuserait aussitôt lui-même.

— Je le redoutais, murmura M. Roquevillard à mi-voix.

— En vain lui ai-je représenté que cette chevalerie était ridicule, qu'il ne dénonçait personne puisque Mme Frasne n'était passible d'aucune

poursuites et que l'acte de sa maîtresse s'expliquait même par son inexpérience des affaires et la
fausse interprétation qu'elle avait pu donner à son
contrat de mariage. Tout a été inutile. Je me suis
heurté à une obstination invincible.

— Vous a-t-il fourni des raisons ?

— Une seule : l'honneur.

— C'en est une.

— Non, ce n'est qu'un sentiment. En justice,
nous n'avons pas à nous placer au point de vue de
l'honneur, mais à celui de la loi.

Le bâtonnier, qui n'approuvait pas cette théorie,
présenta la question sous une autre forme.

— C'est l'honneur de Mme Frasne surtout qu'il
envisage. Pour préserver le sien, il doit établir
qu'il n'a ni dérobé une somme d'argent, ni profité
du détournement d'autrui. Il prouve le premier
point en arguant du contrat de Mme Frasne, et
le second avec le témoignage écrit de la Banque
internationale de Milan où les fonds de Mme Frasne
étaient déposés. Mais il se refuse catégoriquement
à cette démonstration.

— Vous le lui avez dit, vous ?

— Je le lui ai dit, et qu'il s'exposait gravement
en se présentant désarmé aux jurés.

— Que vous a-t-il répondu ?

— Que jamais il ne laisserait accuser Mme Frasne
de quoi que ce fût, et qu'il interdisait à son défenseur de prononcer jusqu'au nom de celle-ci. Nous
l'avons trouvé inébranlable : « Mais enfin, comment
voulez-vous qu'on vous défende ? lui a objecté
Me Bastard. — Comment peut-on me croire coupable ? a-t-il fièrement répondu. Qu'on regarde d'où

je viens et qui je suis : cela doit suffire. »

— Quel enfant ! reprit M. Bastard qui lissait avec contentement sa belle barbe. Sans doute l'honorabilité de la famille est un puissant argument dont je comptais aux assises tirer bon parti. Mais c'est un argument en quelque sorte accessoire. Il ne touche pas au fond du débat. On ne plaide pas avec les parents. Pourquoi pas avec les morts ?

— Ils témoigneront pour nous, répondit M. Hamel non sans quelque solennité.

— Il y a un coupable, ne l'oublions pas. Bon gré, mal gré, le jury le cherchera. Si ce n'est pas l'amant, c'est la maîtresse. Si ce n'est pas la maîtresse, c'est l'amant. Nous avons la preuve que c'est elle, et nous refuserions de la donner ? C'est insensé. J'ai prévenu votre fils, mon cher confrère, que je ne pouvais accepter de le défendre dans ces conditions et je viens vous le répéter. Vous savez avec quelle ardeur je m'en étais chargé et que j'y apportais tous mes soins. Paralysé, que puis-je faire ? Vous me voyez profondément affecté de cette décision, mais il m'est impossible de me présenter à la barre ainsi ligotté.

Le malheureux père de l'accusé lui tendit la main :

— C'est un concours précieux que je perds, et c'est peut-être le salut. Mais la défense ne doit pas être entravée.

Malgré leur manque de sympathie réciproque, les deux avocats étaient pareillement émus. On ne partage pas impunément la même vie professionnelle, les mêmes combats, les mêmes préoccupations d'esprit.

— Voyez-le, vous, dit encore M. Bastard en se levant. Peut-être obtiendrez-vous ce que nous n'avons pas obtenu.

— Non, je ne le pense pas.

— Si vous parveniez à le décider, je demeure à votre disposition. Et vous pourrez compter sur mon plus bel effet. Il est près de six heures, excusez-moi. J'ai un rendez-vous d'affaires.

M. Roquevillard le reconduisit jusqu'à la porte et sur le seuil il le remercia :

— Nous avons été quelquefois divisés, mon confrère. Je n'oublierai jamais que, dans la circonstance la plus grave de ma vie, il n'a pas dépendu de vous de me consacrer votre dévouement et votre talent.

— Mais non, mais non, répliqua le grand avocat d'assises que sa propre bienfaisance étonnait, je pensais mieux aboutir. C'était une belle cause. Décidez votre fils. Je reviendrai.

Lorsqu'il rentra dans son cabinet, M. Roquevillard trouva M. Hamel qui s'était approché du feu et qui tisonnait par distraction. Il s'assit en face de lui, et tous deux restèrent longtemps à réfléchir sans parler.

— Ma voix n'a jamais porté bien loin, dit enfin le bâtonnier poursuivant ses déductions intérieures, et l'âge l'a cassée. Je n'ai jamais su que démontrer et non pas émouvoir. Cependant je serai là, je prononcerai quelques mots sur la famille de l'inculpé, sur l'inculpé lui-même. Mais il faut un autre porte-parole. Je ne puis que vous assister, mon ami.

Il ne livrait pas son opinion sur l'attitude de Maurice, et peut-être ne se l'expliquait-il pas. Il gardait cette défiance de la femme, confinant au dédain, qui se rencontre souvent à la fin d'une vie austère et disciplinée. L'honneur d'une Mme Frasne ne lui paraissait point mériter tant d'égards. On citait de lui ce trait excessif : ayant salué un jour une dame de mauvaise réputation qui en avait tiré vanité, car il répandait autour de lui le respect, il le sut et dès lors cessa de reconnaître personne dans les rues de la ville.

— Le jury, se demanda tout haut M. Roquevillard qui comprenait mieux son enfant, devinera-t-il la générosité de ce silence ? C'est peu probable.

— C'est impossible, affirma nettement M. Hamel. Votre fils se perd quand il n'y a pas lieu de sauver cette personne. Mais n'avons-nous pas le droit de le défendre malgré lui ?

— Et comment ?

— Aux assises, la défense est obligatoire, vous le savez comme moi. A défaut d'un avocat choisi par l'accusé, le président lui en désigne un d'office. Si M Bastard est désigné d'office — et il suffit que, bâtonnier, je l'indique au président — il recouvre la liberté intégrale de plaider au risque d'être désavoué par son client.

— Mais ce désaveu influencera défavorablement le jury.

— Je ne vois pas d'autre moyen. A moins que...

Et le grand vieillard se tut. Les interrogations multipliées de M. Roquevillard ne réussirent pas à le tirer de son mutisme.

— La partie est perdue, finit par murmurer ce dernier.

Alors M. Hamel se leva :

— Vous croyez en Dieu, comme moi, mon ami.
Invoquez-le, il vous inspirera. Votre fils est innocent ; il doit être acquitté. Sa véritable faute ne
relève pas de la justice des hommes. Elle n'atteint
que lui-même et malheureusement sa famille.

Comme il se disposait à partir, déjà tourné vers
la porte, il revint en arrière, et tout à coup tendit
les bras à son confrère. Ce geste exceptionnel découvrait le fond de tendresse qui se dissimulait
sous cette énergie tendue depuis un si grand
nombre d'années. Il était surprenant et doux
comme une expression de fraîcheur et de pureté
sur le visage d'une femme âgée, ou comme ces
fleurs qui persistent à croître jusque sous la neige.
Les deux hommes s'étreignirent avec émotion.

— Vous ne nous abandonnerez pas, vous, dit
M. Roquevillard, merci.

— Je me souviens, répliqua le vieillard.

Et ramenant sur les épaules son pardessus dont
flottaient les manches vides, il s'éloigna d'un pas
pressé dans le corridor où son hôte avait peine à
le suivre pour l'accompagner jusqu'à la porte.

Demeuré seul, M. Roquevillard s'assit à la table
de travail où tant de difficultés matérielles et
morales avaient été résolues et, la tête dans les
mains, il chercha comment il sauverait son fils
qui, en se perdant, perdait sa race entière. Moins
absolu, plus indulgent et plus apte à comprendre
la vie et les hommes que M. Hamel enfermé dans
ses convictions intransigeantes comme dans une
tour, il reconnaissait, dans la résolution de l'accusé, cette ténacité et cette revendication des responsabilités qui, de génération en génération,

avaient créé et maintenu la force des Roquevillard. Mais cette force, celui-ci employait les mêmes
dons à la détruire. Pour édifier son bonheur individuel il avait compromis tout le passé et tout l'avenir
des siens dont il montrait pourtant les signes dis-
tinctifs jusque dans sa faute. Et le trouvant exempt
de lâcheté et de bassesse, son père songeait que si le
jeune homme reprenait un jour sa place au foyer et
dans la société, il ne laisserait pas amollir la tradition et utiliserait pour leur but normal les facultés
dont il avait faussé l'emploi. A tout prix, il fallait
le reprendre intact à cette passion qu'il refusait de
renier.

« A moins que... » reprit M. Roquevillard, que
cette parole mystérieuse du bâtonnier avait frappé.
Que signifiait cette restriction ?

Il releva son front penché et, s'adossant au fauteuil, il regarda en face de lui. Ses yeux s'arrêtèrent sur le plan de la Vigie accroché à la muraille
qui, hors du cercle de lumière projeté par la
lampe, se distinguait mal dans l'ombre. Il évoqua
le domaine comme un ancêtre, comme un conseiller,
et en même temps les cruels syllogismes de M. Bastard lui revenaient en mémoire :

« Il y a eu vol. Donc il y a un coupable. Lequel ?
Si ce n'est pas lui, c'est elle. Il ne veut pas que ce
soit elle. Donc c'est lui... Que répondre à cette
simplicité de raisonnement appropriée aux cer-
veaux rustiques des jurés ? »

Et tout à coup, tandis qu'il fixait les traits confus
de la carte, il crut voir surgir une idée comme un
éclair dans la nuit :

« Si l'on supprimait le vol, il n'y aurait plus de

coupable. Le jury serait forcé d'acquitter. Comment supprimer le vol ? »

Et la Vigie lui parla.

Quelques instants plus tard, Marguerite frappa discrètement à la porte.

— Entre, dit-il, je suis seul.

— Eh bien ! père, qu'avez-vous décidé ?

Il lui expliqua le nouveau danger de condamnation où les mettait l'obstination de Maurice et conclut :

— Me Bastard nous abandonne. Il refuse de plaider.

— Alors, demanda-t-elle toute apeurée, qui le défendra ? Et comment le défendre ?

— Ne t'inquiète pas encore, petite. J'ai peut-être un moyen.

— Lequel ?

— Plus tard je te l'apprendrai. Laisse-moi y réfléchir. Il exigerait un grand sacrifice.

— Faites-le vite, père.

Les yeux de la jeune fille brillaient d'une telle flamme que toute l'âme pure et généreuse s'y reflétait.

— Chère fille, murmura-t-il avec orgueil.

Elle lui sourit, d'un sourire fragile comme en ont ceux qui vivent depuis longtemps dans le malheur.

— Père, dit-elle, j'avais toujours pensé que ce serait vous qui le défendriez.

II

LE CONSEIL DE FAMILLE

— Suis-je de trop ? demanda Marguerite.

Sur le seuil du cabinet de travail elle s'était arrêtée en découvrant une nombreuse compagnie.

— J'allais te chercher, dit son père. Ta place est avec nous.

Un grand vieillard sec et boutonné, qui s'appuyait à la cheminée où flambait un feu clair, jeta du haut de sa tête :

— De mon temps, on ne tenait pas conseil avec des femmes.

— Ce n'est pourtant pas une femme qui a compromis la maison, riposta vivement du fond d'un fauteuil une dame un peu forte, déjà mûre et vêtue de noir.

Mais ce n'était là qu'une discussion de principes, car tous deux firent trêve pour accueillir la jeune fille avec bonne grâce. Elle salua tour à tour son grand-oncle, Etienne Roquevillard, qui, plus âgé encore que Me Hamel, portait ses quatre-vingts ans sans plier sous leur poids, sa tante par alliance, Mme Camille Roquevillard, puis son cousin Léon, fils de celle-ci, industriel à Pontcharra, en Dauphiné, enfin Charles Marcellaz, arrivé le matin de Lyon.

Au dehors un ciel lourd, chargé de neige, semblait descendre sur le Château, comme pour l'écraser. Déjà il atteignait le donjon. Les arbres dépouillés lui tendaient leurs branches suppliantes. Seul, le lierre de la Tour des Archives gardait sa teinte d'éternel printemps. Malgré ses quatre fenêtres, la pièce se ressentait de la morosité du jour. Des bibliothèques, des portraits, du paysage d'Hugard, tombait une impression de tristesse. Les derniers volumes de jurisprudence, empilés sur un guéridon, n'étaient pas reliés comme ceux des années précédentes. La grande table couverte de dossiers dont l'un était ouvert, étalant ses pièces de procédure et ses actes civils, témoignait de la continuité d'un travail que les plus graves soucis n'avaient pas suspendu, tandis qu'une gerbe fraîche de chrysanthèmes, placée devant une photographie de Mme Valentine Roquevillard, révélait le soin journalier d'une main de femme.

L'avocat pria ses hôtes de s'asseoir. La tête inclinée, il parut réfléchir. Il avait beaucoup vieilli en un an. La couronne de ses cheveux et sa moustache courte aux poils durs grisonnaient. Deux plis s'étaient creusés autour de la bouche, et le cou amaigri laissait voir, par devant, une large rigole. La chair moins ferme des joues et leur teint plombé complétaient cet ensemble de signes de décadence que Marguerite ne pouvait constater sans un serrement de cœur. Quelle différence entre l'homme absorbé par sa méditation, assis là devant cette table, et celui qui, debout au sommet du coteau, aux vendanges de l'année précédente profilait sur le ciel sa silhouette robuste et joyeuse !

Quand il se redressa, de ce seul geste il se fit reconnaître. Du fond de l'arcade sourcilière ses yeux lançaient ce regard impérieux, difficile à supporter, qui se fixait sur les visages avec une précision gênante Avant d'avoir parlé, il affirmait par sa seule attitude qu'il était le chef et que les épreuves ne viendraient pas facilement à bout de sa force de résistance

— Je vous ai convoqués, dit-il, parce que la famille court un danger. Or, nous portons le même nom, sauf Charles Marcellaz, qui a le rang d'un fils puisqu'il représente ma fille Germaine. Félicie et Hubert sont trop loin pour être consultés. Mais leur vie atteste une telle abnégation qu'ils n'ont pas besoin de l'être. Je sais leur désintéressement.

— Vous avez de bonnes nouvelles du capitaine ? interrogea Mme Camille Roquevillard que l'uniforme de son neveu avait toujours impressionnée favorablement et qui était incapable de penser à plus d'une personne à la fois.

Ce fut Marguerite qui répondit :

— Pas depuis quelque temps, et les dernières n'étaient pas très bonnes. Il avait pris les fièvres.

— Les assises, reprit M. Roquevillard, s'ouvrent le 6 décembre, dans trois semaines. Maurice comparaîtra au début de la session.

— C'est une simple formalité, dit Léon qui, fier de diriger à vingt-huit ans une usine assez considérable, affectait un caractère pratique et positif et ramenait toutes choses à leur résultat. L'acquittement est certain.

D'un *non* catégorique l'avocat lui ferma la bouche.

Sa fille en frissonna. Les hommes se regardèrent, surpris, inquiets :

— Comment, non ?

— Puisqu'il n'est pas coupable.

— Puisque c'est Mme Frasne.

Charles Marcellaz avait parlé le dernier, désignant l'ennemie.

— La misérable ! ajouta la veuve en levant les yeux au plafond et en déplorant intérieurement que ce nom fût prononcé devant Marguerite. Elle divisait simplement les femmes en deux catégories : les honnêtes et les publiques, mais elle ne cherchait point l'origine des petits enfants qu'elle secourait. Au rebours de tant d'intellectuelles et d'émancipées d'aujourd'hui, son horizon était borné, non point sa charité ni son dévouement.

— L'acquittement n'est pas certain, reprit le chef de famille, à cause des conditions que mon fils impose à la défense. Je l'ai vu plusieurs fois dans sa prison. Maurice est inébranlable. Il ne consent à être défendu que si le nom de Mme Frasne n'est pas prononcé par son défenseur.

D'un commun accord, l'industriel et l'avoué se révoltèrent :

— C'est impossible. Il est fou.

— C'est une trahison.

— Il ne faut pas l'écouter.

— Tant pis : abondonnez-le.

Au cousin Léon revenait ce conseil de lâcheté. L'avocat le toisa d'un regard où la colère et le mépris se changèrent bientôt en douleur. La famille se désagrégeait, puisque l'un de ses membres répudiait toute solidarité. Mais dans le silence qui suivit, l'ancêtre prononça doucement :

— Moi, j'estime que Maurice a raison.

M. Roquevillard, sur cette réflexion inattendue, continua son exposé :

— Cette générosité pourrait être comprise d'un jury de bourgeois. Elle ne le sera pas d'un jury de simples paysans. Ceux-ci, du débat, ne retiendront qu'un point : la disparition d'une somme de cent mille francs dont le chiffre même les éblouira. Ils sont plus sensibles aux attentats contre la propriété qu'à ceux contre les personnes. Cette somme, raisonneront-ils, n'a pu être dérobée que par *lui* ou par *elle*. Si c'était elle, il nous le dirait, et nous l'acquitterions. Dans le doute, nous l'acquitterions encore. Il n'ose pas l'accuser ; donc, c'est lui. Car ils n'ont pas notre conception de l'honneur.

— L'honneur ! l'honneur ! répéta deux fois Léon que le dédain trop évident de l'avocat avait irrité. Il s'agit avant tout d'éviter une condamnation qui serait déshonorante. Je n'admets que cet honneur-là, moi, celui du code.

Le plus vieux des Roquevillard, à son tour, dévisagea le jeune homme avec insolence.

— Je vous plains, murmura-t-il d'une voix qui, par manque de dents, était sifflante.

Sans déférence pour l'âge, l'industriel réclama :

— Pourquoi ?

— Mais parce que vous ne comprenez plus rien à certains mots.

— Justement, des mots, de grands mots quand c'est vous qui les employez.

Conciliant, Charles Marcellaz donna cette explication juridique :

— Mme Frasne est coupable. Or, sa culpabilité ne tombe pas sous le coup de la loi. Le vol commis par une femme au préjudice de son mari ne comporte aucune sanction. En la dénonçant Maurice ne lui fait courir aucun risque et il dépose conformément à la vérité

Mais l'oncle Etienne, dont la lointaine jeunesse avait été orageuse, prononça en dernier ressort :

— On ne dénonce sous aucun prétexte une femme dont on a été l'amant. Je reconnais ton fils, François.

La veuve qui, depuis le commencement de la réunion, blâmait tout bas le sien, lequel tenait d'elle son intelligence terre à terre sans y joindre la bonté, voulut tout haut le soutenir contre ce vieillard qui prêchait une étrange morale :

— Vous voulez qu'on respecte ces créatures ?

Le chef de famille apaisa d'un geste l'inutile querelle.

— Laissez-moi achever. Quand le moment sera venu, je vous demanderai d'intervenir. Maurice s'oppose à toute dénonciation de Mme Frasne. Il ne s'agit pas de savoir s'il a tort ou raison puisqu'il est décidé, et que nous n'y pouvons rien. Si la défense passait outre, il s'accuserait lui-même plutôt que de l'approuver, et préférerait se charger du crime. Dans ces conditions, que se passera-t-il ? La question est là, non ailleurs. Le jury, forcé d'accepter le fait matériel du vol qui ne saurait être nié, impressionné par une perte d'argent aussi considérable, cherchera, je le prévois, un coupable. Désarmé vis-à-vis de Mme Frasne, il se retournera contre mon fils. Qu'il lui accorde ou non les circonstances atténuantes, c'est la flétrissure.

— Ah ! père, laissa échapper Marguerite.

— Le danger est très grand. Le mesurez-vous ? Or, j'ai pensé qu'il y avait peut-être un moyen de le conjurer.

La jeune fille, que son père n'avait pas renseignée sur ses projets avant la réunion de famille, se reprit à l'espoir :

— Coûte que coûte, père, il faut l'employer.

— Voici. Aux assises, dans les affaires d'abus de confiance, j'ai toujours constaté que la restitution emportait l'acquittement. Le jury est surtout sensible à la perte d'argent. Supprimez-la, il ne tient plus guère à frapper un coupable. Pas de préjudice, pas de sanction : pas de victime, pas de condamné : c'est une association d'idées qui lui est habituelle.

Le gendre de M. Roquevillard tira la conclusion :

— Vous voudriez restituer à M. Frasne l'argent que sa femme a emporté ?

— C'est cela.

— Cent mille francs ! s'écria Léon, c'est un chiffre.

Et Charles Marcellaz de protester aussitôt :

— Mais c'est avouer la faute de Maurice. Il paie, donc il est coupable.

— Non pas. La caution qui paie à la place du débiteur principal n'est pas pour autant ce débiteur. Par la bouche de son avocat, Maurice expliquera aux jurés que, s'il ne veut pas accuser, il entend demeurer hors de tous soupçons. M. Frasne remboursé, il n'y a plus de vol. Laisser M. Frasne à découvert c'est, je le crains, livrer mon fils.

— Bien, François, approuva l'oncle Etienne qui agita sa tête de grand oiseau déplumé.

Cette marque d'estime décida la veuve à une démonstration amicale.

— Je ne comprends pas bien, dit-elle, toutes ces manigances. Mais bonne renommée vaut mieux que ceinture dorée, et je suis de cœur avec vous, François.

Son fils qui l'écoutait ne se rassura qu'au mot de *cœur* qui n'engageait à rien. Il échangea avec l'avoué un regard qui signifiait : « Ces vieilles gens traitent de haut la fortune quand c'est elle seule qui donne la considération et permet le développement des familles. » Se sentant appuyé, Marcellaz interrogea avec douceur :

— Payer cent mille francs, le pouvez-vous, mon père ?

— C'est une autre question, répondit un peu sèchement M. Roquevillard qui commençait à s'énerver, je l'aborderai tout à l'heure. D'abord les principes, ensuite les moyens d'application.

Mais lui-même, déjà décidé, renversa l'ordre en ajoutant :

— S'il le faut, je vendrai la Vigie.

C'était le plus grand sacrifice. Marguerite en comprit l'héroïsme et devint toute pâle. Partagé entre le respect et l'intérêt, entre l'admiration et l'indignation, Charles hésita, chercha une issue à ce flot de sentiments contraires, et, sur un coup d'œil ironique de son cousin Léon, il argumenta :

— Vendre la Vigie ! Vous n'en avez pas le temps
avant le 6 décembre. Ou bien vous vendrez à vil
prix. La Vigie vaut cent soixante mille francs au
bas mot, sans les bois que vous avez achetés, il y
a quatre ans, sur la commune de Saint-Cassin.

Ces objections, l'avocat se les était déjà posées
à lui-même sans nul doute, car elles le trouvaient
préparé :

— C'est possible, dit-il simplement. Reste l'emprunt hypothécaire.

— Oui, au cinq ou au quatre et demi. Au cinq,
probablement, à cause de la nécessité immédiate
que les hommes d'affaires ne manqueront pas d'ex-
ploiter, quand la terre ne rend que le trois à peine
et qu'il suffit d'une gelée ou d'une grêle pour anéantir une récolte. Vous avez trop d'expérience, mon
père, pour ignorer que l'emprunt hypothécaire est
pour le sol une maladie incurable, mortelle. Déjà
la propriété immobilière constitue aujourd'hui un
danger pour qui ne vit pas sur la terre, ou n'a pas
de bonnes rentes moyennant quoi il peut faire face
aux intempéries, à la concurrence. Ce serait com-
promettre irrémédiablement l'avenir. Et la Vigie,
c'est le patrimoine de famille, le patrimoine sacré
auquel on ne touche pas.

M. Roquevillard l'avait laissé parler. Impatient,
il haussa le ton :

— Personne n'a plus que moi aimé et compris
la terre, écouté ses conseils, ausculté son mal
dans la crise qu'elle traverse. Et c'est à moi qu'on
reproche de l'oublier. Mais apprenez donc, si vous
ne le savez pas, qu'il y a dans le plan des choses
humaines un ordre divin qu'il faut respecter. Au-

dessus de l'héritage matériel, je place, moi, l'héritage moral. Ce n'est pas le patrimoine qui fait la famille. C'est la suite des générations qui crée et maintient le patrimoine. La famille dépossédée peut reconstituer le domaine. Quand elle a perdu ses traditions, sa foi, sa solidarité, son honneur, quand elle se réduit à une assemblée d'individus agités d'intérêts contraires et préférant leur destin propre à sa prospérité, elle est un corps vidé de son âme, un cadavre qui sent la mort, et les plus belles propriétés ne lui rendront pas la vie. Une terre se rachète, la vertu d'une race ne se rachète pas. Et c'est pourquoi la perte de la Vigie m'affecte moins que le risque de mon fils et de mon nom. Mais parce que la Vigie est demeurée de siècle en siècle le lot des Roquevillard, je n'ai pas voulu interrompre une si longue continuité de transmission sans vous avertir, sans vous consulter. Je vous ai fait connaître mon avis le premier : j'ai eu tort. Donnez-moi le vôtre à tour de rôle avec sincérité. Je ne dis pas que j'en tiendrai compte, s'il s'oppose au mien. Je suis le chef responsable. Mais une détermination qui brise d'un seul coup le travail de tant de générations est si grave qu'il me serait doux d'être approuvé par un conseil de famille.

Le silence qui suivit ces paroles lui montra que son entourage avait saisi l'importance de la décision à prendre. Il regarda sur la muraille le plan du domaine qui s'y trouvait suspendu et qui indiquait les adjonctions successives avec la date des contrats. Si souvent, en préparant ses plaidoiries, il l'avait contemplé, non point pour y lire des

tracés et des chiffres, mais pour se représenter
des bois, des champs, des vignes, et les labours et
les vendanges. Un morceau de la terre, les travaux
agricoles, le mouvement des saisons tenaient dans
ce cadre étroit dont les quelques traits noirs
n'étaient pas inutiles à son imagination.

Ses yeux s'en écartèrent et par les fenêtres distinguèrent, sous le ciel bas, le château des vieux
ducs édifié lentement à toutes les époques de l'histoire, démantelé à demi, imposant dans ses restes,
et gardien du passé. Mieux que tous les documents et
toutes les archives, mieux que les manuels et les
chronologies il imposait le souvenir par cela seul
qu'il demeurait debout comme un témoin de chair.
A lui seul, il évoquait l'ancienne Savoie et le temps
des aïeux et les rudes guerres, tandis que les ogives
de la Sainte-Chapelle symbolisaient de pieux élans
de cœur. Que resterait-il des morts, de leurs actions,
de leurs sentiments, sans les signes matériels où
ils se réalisèrent et qui les rappellent ? La Vigie
défrichée, conquise, agrandie, restaurée, n'était-elle
pour rien dans le destin des Roquevillard ? et quand
elle serait abandonnée, ne manquerait-il pas à la
race son point d'appui, le sens visible de sa continuité ? Dans les familles terriennes, les générations
se passaient la bêche comme les coureurs antiques
se passaient le flambeau. Et voici que le dernier
chef la laissait tomber.

Mais l'avocat détourna la tête, repoussant toute
hésitation. Le patrimoine n'était pas plus la famille
que la prière n'était l'église ni le courage un donjon. Loin du sol natal, au Soudan, en Chine, Hubert et Félicie transportaient l'énergie vitale

que leur avait donnée la tradition. Rendu à son existence normale, Maurice rachèterait par le travail sa faute. Et pour Marguerite, la flamme du dévouement la brûlait.

Il s'adressa à sa fille, comme à la plus jeune de l'assemblée et pour entendre l'écho de sa pensée.

— Toi, dit-il, parle la première.

— Moi, père ? Tout ce que vous ferez sera bien fait. Sauvez Maurice, je vous en prie. Si vous pensez que la vente de la Vigie soit nécessaire, n'hésitez pas à la vendre. Nous n'avons pas besoin de fortune. Dans tous les cas, prenez ma part. Ne vous inquiétez pas de moi. Pour vivre il me faut peu de chose et je me tirerai d'affaire.

— Je savais, approuva M. Roquevillard.

Doucement, il caressa la main de Marguerite tandis qu'il interpellait son neveu :

— A toi, Léon.

Et se méfiant de lui, il ajouta :

— Souviens-toi de ton père.

Le jeune homme prit l'air important des arrivistes qui ont réussi et qui, néanmoins, sont prêts à donner pour rien la recette du succès. Il allait enseigner ces vieillards ignorants de la vie moderne que de nouvelles conditions font rapide, égoïste et réaliste :

— Mon oncle, commença-t-il, vous êtes de ces hommes d'autrefois qui cherchaient partout des croisades et se battaient contre les moulins à vent. Votre ruine est inutile. Voyez les choses d'une façon plus positive. A cette heure, Maurice pratique contre vous le chantage de l'honneur. L'honneur de Mme Frasne ne vaut pas cent mille francs. Mon gentil cousin fait le bravache dans sa prison.

Quand viendra l'audience, il filera plus doux. Je
ne suis pas avocat, mais j'ai lu souvent dans les
journaux, comme tout le monde, les comptes rendus des crimes passionnels. Toujours les accusés,
et les plus orgueilleux, dénoncent ou chargent
leurs complices ou leurs victimes au dernier moment pour s'innocenter eux-mêmes. La crainte du
verdict est le commencement de la sagesse. Maurice est un garçon intelligent, plein d'avenir : il
comprendra. Si, par hasard, il ne comprenait pas,
eh bien! tant pis pour lui, après tout. C'est triste à
dire devant vous, mon oncle, et je vous en exprime
mes regrets ; mais il l'aura voulu, et je sais que
vous aimez la franchise. Son risque lui est personnel. La solidarité de la famille n'entraîne plus
la déchéance de tous par la faute d'un seul. C'était
là une de ces théories absurdes que notre temps a
définitivement reléguées dans le passé. Chacun pour
soi, c'est la nouvelle devise. Nul n'est tenu des
dettes d'autrui, quand ce serait son père, son
frère ou son fils. L'argent que je gagne est à moi :
de même mes bonnes et mauvaises actions. On a
déjà bien assez de peine à organiser son propre
bonheur, sans lui imposer le poids effroyable de
vingt générations. Avancez à Maurice sa part, si
vous y tenez, mais réservez celles de ses frères et
sœurs, et le pain de vos vieux jours. Quant à la
Vigie, vendez-la en effet, si vous en trouvez un
bon prix, non pour acheter la compassion des
jurés, mais parce que la terre, aujourd'hui, n'est
plus bonne qu'au paysan qui la ronge comme un
rat. L'industrie, les machines, c'est l'avenir, comme
la société c'est l'individu.

L'ancêtre, sur cette harangue, laissa échapper un petit rire aigu et marmonna :

— Il parle bien. Un peu long, mais il parle bien.

La veuve, elle, s'agitait, joignait les mains pour invoquer le Seigneur.

— Tu as fini ? demanda M. Roquevillard, non sans quelque impertinence.

— J'ai fini.

— Si j'ai bien compris, tu jetterais volontiers Maurice par-dessus bord.

— Pardon, mon oncle : il s'y jette lui-même. Ce n'est pas la même chose. S'il était raisonnable, il sortirait aisément sain et sauf des griffes de la justice. Mais il ne veut pas être raisonnable. Je suis toujours pour la raison, moi.

Le chef de famille se tourna vers son gendre.

— Et vous, Charles, vous êtes aussi pour la raison ?

Marcellaz hésita avant de répondre. Il supportait impatiemment la supériorité de son beau-père. Celle de la famille de sa femme sur sa propre famille le frappait à chaque comparaison et l'irritait, surtout depuis qu'il s'était rapproché de son pays d'origine. Laborieux et économe, il organisait avec acharnement l'avenir de ses enfants, et se montrait jaloux de protéger une médiocre fortune péniblement acquise. Les affaires l'avaient absorbé, rétréci et durci. Mais il aimait Germaine et s'il se méfiait des mouvements qu'inspire la sensibilité, c'est qu'il n'en était pas dépourvu. Il biaisa, déplora le passé, la situation sans issue.

— Pourquoi Maurice nous préfère-t-il Mme Frasne jusque dans sa prison ? C'est absurde, puisqu'elle n'encourt aucune pénalité Il trahit la famille pour un faux point d'honneur. Cent mille francs, payer cent mille francs, n'est-ce point au-dessus de vos forces ? Il ne faut pas tenter l'impossible.

— Mais si, dit Marguerite, il faut tenter l'impossible pour le sauver.

— Enfin, conclut M. Roquevillard, qui voulait une réponse ferme, vous me conseillez, vous aussi, d'abandonner mon fils ?

L'avoué baissa la tête pour ne pas rencontrer le regard ironique du jeune Léon, et presque honteux, murmura :

— Non, tout de même.

Quand il releva le front, il fut surpris du regard que son beau-père posait sur lui, et dont l'expression, habituellement autoritaire, était voilée, tendre, d'une douceur inconnue, comme on s'étonne de la force d'un fleuve en découvrant, sous quelque verdure fraîche, son humble source.

— A votre tour, Thérèse.

La veuve qui, depuis le discours de son fils, n'avait plus écouté quoi que ce fût, ne se fit pas répéter l'invitation. Gouvernée par un sûr instinct, elle ne se mêla pas d'argumenter sur des principes qu'elle appliquait et ne savait pas définir. Comme beaucoup de femmes, elle substituait immédiatement aux théories des questions de personnes, ce qui, du moins, a le merite d'écarter les solutions abstraites et de dissiper les brouillards philosophiques. De tout le débat elle n'avait retenu qu'une parole, mais c'était la bonne. Incapable de répondre à plus d'un seul, elle s'en prit à Léon sans aucun souci du reste de l'assemblée :

— Chacun pour soi, as-tu dit ? Si ton oncle ici présent avait pratiqué cette belle maxime, mon garçon, tu ne dirigerais pas à l'heure qu'il est une usine qui te rapporte des cents et des cents...

— Maman, tu te moques de moi, interrompit le jeune homme que cette sortie atteignait dans son amour-propre.

Mais la bonne dame était partie et ne s'arrêta point.

— Non, non, tu sais ce que je veux dire. Je te l'ai déjà raconté et, si tu l'as oublié, je rafraîchirai ta mémoire. Il y a quinze ans, quand ton père eut placé toute son épargne dans l'usine qu'il fondait, comme les commandes n'affluaient pas encore, vint un jour où il dut suspendre ses paiements. L'industrie était nouvelle dans le pays, personne n'avait confiance. Il alla trouver son frère aîné, ton oncle François, et lui exposa le péril. François lui prêta sur l'heure et sans intérêts les vingt mille francs dont il avait un besoin si urgent que nous étions menacés d'une liquidation. Ainsi nous fûmes sauvés, mon petit. De ces heures mauvaises, j'ai conservé une grande peur de la misère. Que Dieu me la pardonne ! c'est elle qui t'a rendu égoïste et méfiant.

— Bien, bien, je ne me rappelais pas, avoua Léon avec mauvaise humeur.

Mme Camille Roquevillard était si gonflée de son sujet qu'elle ne se laissa pas amadouer par concession, elle qui, d'ordinaire, après quelque tapage, cédait toujours aux raisons de son fils. Quand on vit côte à côte, on ne s'observe pas, et l'on est quelque fois tout surpris, dès qu'une circonstance grave en fournit l'occasion, de découvrir la solitude. Aujourd'hui, cette sensation d'isolement est plus fréquente d'une génération à l'autre, à cause du relâchement des liens de famille et de la rapide transformation des idées.

Elle affecta de s'adresser à son beau-frère :

— Je ne suis de votre parenté que par alliance, François. Mais je porte le même nom que vous et je me souviens. C'est vingt mille francs que je mets à votre disposition, si vous en avez besoin à votre tour. Je ne comprends rien à vos histoires, mais vous êtes malheureux. Quant à Mme Frasne, c'est une coquine.

— Ma tante, je vous aime bien, dit Marguerite.

Et M. Roquevillard ajouta :

— Merci, Thérèse. Je n'en aurai probablement pas besoin. Je suis heureux de savoir que je puis compter sur vous à l'occasion.

Le dernier enfin, l'ancêtre, motiva son avis d'une voix lente, mais ferme et qui, par moment, voulant se forcer, jeta des éclats de cloche fêlée :

— Le père est le juge domestique de ses biens, François. Tu es seul responsable, tu ne relèves de personne. J'étais le cadet de ton père. Nous fûmes orphelins de bonne heure : il nous éleva, nous dirigea, nous aida, car il était l'héritier et le chef de famille. En ce temps-là — c'était sous le régime sarde, avant l'annexion — les filles ne recevaient qu'une légitime et on ne les épousait pas pour leurs écus ; le patrimoine devenait le lot d'un seul avec ses obligations auxquelles n'aurait pas failli l'héritier : telles que nourrir, doter, établir les cadets, recevoir les infirmes, les nécessiteux, les vieillards. Ces jeunes gens ignorent ce que représentait alors le patrimoine qui était la force matérielle de la famille, de toute la famille groupée autour d'un chef, assurée de subsister, de durer, grâce à sa cohésion. Aujourd'hui, à quoi bon garder un domaine ? Si tu ne le vends pas, la loi se charge de le pulvériser. Avec le partage forcé, il n'y a plus de patrimoine. Avec le *chacun pour soi*, d'une part, et, de l'autre, l'intervention permanente et intéressée de l'Etat dans tous les actes de la vie, il n'y a plus de famille. Nous verrons ce que réalisera cette société d'individus asservis à l'Etat.

Il eut un rire discret et méprisant, et termina sur des considérations moins générales.

— Cependant, tu as raison de préférer notre honneur à ton argent. Il est juste aussi que tu nous en avertisses. Nous te suivions dans ta prospérité. Le sort t'accable ; nous sommes là. Je n'ai pas grand'chose pour ma part. A côté de ma pension de conseiller, je ne possède guère que vingt-cinq ou trente mille francs de titres, dont le revenu m'aide à vivre. Je suis déjà bien vieux. Après moi je te les donne, et tout de suite s'il le faut.

M. Roquevillard ému répliqua simplement :

— Je suis fier de votre approbation, mon oncle, et touché de votre appui. Ma tâche, maintenant, sera plus légère à accomplir. Ce sacrifice d'argent, c'est l'acquittement de Maurice : mon expérience des affaires me le garantit. Je ne crois pas pouvoir sauver la Vigie. Voici le dénombrement de notre fortune.

— Ceci ne nous **regarde** plus, interrompit l'ancêtre en se levant.

— Je vous le dois, au contraire, afin que vous sachiez que si la Vigie est un jour sortie des mains des Roquevillard, ce ne fut ni sans douleur, ni sans nécessité. Vous êtes mes témoins. La Vigie vaut au moins cent soixante mille francs. Mes bois de Saint-Cassin sont estimés vingt mille. Germaine a reçu en dot soixante mille francs.

— Devrais-je vous les rendre en tout ou en partie ? demanda timidement Charles Marcellaz dont la générosité avait d'autant plus de mérite qu'elle s'accompagnait de regrets, de remords et d'hésitations. Ils sont engagés à concurrence d'un certain chiffre dans le prix de l'étude que j'ai acquise à Lyon.

— En aucun cas, mon ami. Ils vous appartiennent définitivement et vous avez trois enfants. Lorsque Félicie est entrée au couvent, nous avons placé sur sa tête vingt mille francs en rente viagère. Et nous avions réservé pour Marguerite une dot équivalente à celle de Germaine. Sur cette dot, elle a touché huit mille francs qu'elle a remis à son frère.

— Cent huit mille, additionna à mi-voix Léon qui boudait. Il vous revient cher.

Encore ignorait-il les petits prêts à fonds perdus que lui avaient consentis, l'année précédente, sa propre mère et l'ancien magistrat.

— Père, dit la jeune fille, disposez de ma dot. Je ne me marierai pas.

— La femme est faite pour le mariage, constata la veuve.

Et Marguerite ajouta d'une voix résolue :

— J'ai mes brevets, je travaillerai. Je fonderai une école.

— Bien que les femmes, à mon idée, ne doivent pas succéder, intervint l'oncle Etienne, je dérogerai en sa faveur à mes principes. C'est à elle que je léguerai mes quarante mille francs.

— Trente mille, rectifia Léon qui évaluait sa perte.

— Non, quarante, répliqua le vieillard qui dans la crise commune, rejetait définitivement mais péniblement son avarice. Je diminuais tout à l'heure, involontairement. Et même quarante-cinq pour finir. Je referai mon testament qui t'instituait mon héritier, François.

— Merci pour elle, mon oncle. Mais je ne toucherai à sa dot, d'ailleurs insuffisante, que s'il m'est impossible de réaliser promptement et dans des conditions acceptables la Vigie. Car la vente du domaine, si elle est possible, vaut mieux qu'un emprunt. J'y ai réfléchi. Le rendement de la terre est aujourd'hui précaire. Nos vignes, nos blés rencontrent, par la facilité des transports, des concurrences si lointaines que nous ne pouvons plus estimer leurs revenus. Je préfère assurer l'avenir de Marguerite, et permettre à mes fils d'achever le dessin de leur vie. Si je ne trouve pas à la vendre, la terre me servira toujours de caution pour emprunter.

— Nous aussi, assura la veuve, nous vous cautionnerons.

— Parfaitement, acquiesça l'oncle Etienne.

Le conseil de famille était terminé. On se salua, amicalement, sauf Léon qui montra un peu de froideur.

— C'est toujours la caution qui paie, fit-il observer à sa mère dès l'escalier.

— Je paierai, dit nettement celle-ci.

— Vous, vous êtes trop bonne.

— Et toi, trop ingrat.

— C'était mon père. Ce n'était pas moi.

— Ton père et toi, n'est-ce pas la même chose ?

— Non.

Charles reconduisant M. Etienne Roquevillard, l'avocat demeura seul avec sa fille. Au dehors, la lumière baissait. Le donjon, la tour des Archives s'enveloppait de brume comme d'un manteau de soir. Le cabinet de travail s'emplissait de la tristesse particulière à la tombée du jour en hiver. Marguerite remit une bûche dans la cheminée.

— Je suis content, dit son père. Cela s'est bien passé.

Mais elle se révolta contre son cousin :

— Ce Léon est méchant. Je le déteste.

— Sa mère est une brave femme.

Ils se turent. Puis tous deux regardèrent le plan de la Vigie sur la muraille. Au lieu d'une feuille obscure, ils revirent, au beau soleil des vendanges, les vignes d'or, les champs moissonnés, les terres prêtes au labour et la vieille maison vaste et commode. C'était l'appel suprême du domaine condamné.

Comme avait fait Maurice, du haut du Calvaire de Lémenc avant son départ, mais pour une autre sorte d'amour dont ils n'attendaient point leur bonheur personnel, ils lui dirent adieu.

III

LA BELLE OPÉRATION DE Mᵉ FRASNE

Il n'était bruit dans tout Chambéry que de la
belle opération de Mᵉ Frasne. Elle était un sujet
courant de conversation à la soirée que donnaient
M. et Mme Sassenay pour fêter les dix-huit ans
de leur fille Jeanne. C'est un des traits de la société provinciale que les hommes transportent dans
le monde leurs occupations et préoccupations de
la ville et n'abandonnent point dans le plaisir le
tracas des affaires : entre deux tours de valse,
abandonnant ces dames à leurs rivalités de toilette, ils s'empressent dans tous les coins de reprendre leurs médisances financières et leurs soucis
professionnels. Puis, le drame de famille qui
ébranlait dans leur vieille situation sociale les Roquevillard et qui devait recevoir son dénouement
le surlendemain, — on était au 4 décembre, — à
l'audience de la cour d'assises, passionnait l'opinion publique. Lasse d'une prépondérance trop
appuyée et trop prolongée, travaillée par ce désir
de nivellement égalitaire qui est une des ardeurs
modernes, et d'ailleurs irritée d'un orgueil persistant qui jusque dans l'infortune refusait de se
plaindre et de quémander la pitié, cette opinion
publique guettait la fin de la pièce pour voir

tomber définitivement une race qui, dans d'autres temps, eût été considérée comme l'ornement de la cité.

Parmi les invités, hommes de loi, médecins, industriels, rentiers, qui s'isolaient au fumoir et dont quelques-uns seulement se précipitaient aux premières mesures de chaque danse sur le groupe des jeunes femmes et des jeunes filles assises au salon, comme la sortie victorieuse d'une place assiégée, pour regagner ensuite leur cercle masculin, un seul ignorait l'heureuse spéculation du notaire que les uns blâmaient et que les autres approuvaient : c'était le vicomte de la Mortellerie. Son excuse était d'en être demeuré au quatorzième siècle dans l'histoire du château des ducs qu'il préparait. Vainement s'efforçait-il d'entreprendre ses voisins sur l'ingéniosité d'Amédée V qui fit aménager en 1328 des conduites de bois pour amener l'eau de la fontaine Saint-Martii jusqu'aux vastes cuisines où elle jaillissait dans un énorme bassin en pierre, réservoir des lavarets destinés à la table ducale : on n'écoutait point le bavard qui retardait de près de six cents ans. Sentencieux, cérémonieux, ennuyeux, apportant dans ses propos la dignité de sa carrière et de sa vie, M. Latache, président de la Chambre des notaires, tenait tête au petit avoué Coulanges qui, musqué, poudré et frisé, prenait au nom de la jeune école la défense de M. Frasne.

— Non, non, affirmait-il avec solennité, le criminel tient le civil en état. Il fallait attendre le verdict du jury avant d'accepter la réparation du dommage matériel. Ou bien, indemnisé, M. Frasne devait reti-

rer sa plainte. Le lucre ne se mêle pas à la vengeance.

— Pardon, pardon, ripostait le bouillant avoué
prompt à l'escrime. Raisonnons, je vous prie.
M. Frasne a déposé contre Maurice Roquevillard
une plainte en détournement d'une somme de cent
mille francs à son préjudice, et s'est constitué
partie civile. M. Roquevillard père lui offre de lui
restituer cette somme avant l'arrêt, et vous le
blâmez d'accepter.

— Je ne le blâme pas d'accepter, mais, l'ayant
fait, de maintenir les poursuites. Et je ne comprends pas M. Roquevillard.

— Oh ! lui, il sait que son fils est coupable, et
il achète ainsi l'indulgence des jurés. Quant à
M. Frasne, comme une condamnation est toujours
incertaine aux assises, il préfère un *tiens* à deux *tu
l'auras*. En outre, à l'audience, il tirera parti de ce
paiement comme d'un aveu. C'est très fort.

— C'est très intéressé, surtout. M. Roquevillard
père, bien que je ne m'explique pas les mobiles de
son acte, est tout de même trop expérimenté
pour avoir livré une telle arme à son adversaire sans
prendre ses précautions. Le reçu qu'il a dû exiger
mentionne sûrement que, s'il acquitte l'obligation
d'un tiers, il ne reconnaît point pour autant que ce
tiers est son fils.

— Le reçu contient en effet cette réserve, et
dans les termes les plus formels, annonça l'avocat
Paillet qui arrivait et entrait dans la discussion
sans perdre une minute.

— Je l'avais deviné, triompha M. Latache. Et
plutôt que d'apposer sa signature au bas d'une sem-

blable restriction, M. Frasne eût été mieux inspiré
de s'en référer à la décision des juges.

Mais M. Coulanges ne se tint pas pour battu :

— Qu'est-ce qu'un pareil reçu prouve ? Paie-t-on
cent mille francs pour un inconnu ?

La galerie lui donna raison et le lui témoigna
par un murmure flatteur, qui signifiait qu'en effet
une telle générosité ne va pas sans quelque nécessité impérieuse. Son succès néanmoins fut court.
L'avocat Paillet le lui rafla comme on escamote
une muscade. Gai, rond et gras, il savait tout, se
fourrait partout, livrait tout.

— Je vois, dit-il, que vous ignorez le plus beau
coup de M. Frasne.

— Parlez.

— Ah ! ah !

Il tenait son monde par une nouvelle qu'il apportait. Et comme l'orchestre préludait au sempi-
ternel quadrille des Lanciers, il abandonna lâche-
ment ses auditeurs scandalisés et roula comme
une boule aux pieds d'une dame qu'il invita. Par
l'embrasure de la porte, ces messieurs, faute de
mieux, regardèrent évoluer les couples, en prenant des airs détachés pour estimer danseurs et
danseuses qui avançaient, reculaient, se saluaient,
tournaient selon les rythmes de la musique et
l'ordre du pas. Jeanne Sassenay, les joues roses,
la coiffure rebelle à la symétrie, toute gracile et
juvénile dans une robe bleu pâle dont le léger
décolletage laissait voir un coin de blancheur
caressée de lumière, s'appliquait à ne point confondre les figures et s'animait au plaisir avec un
air d'importance. Elle suscita les commentaires :

— Pas mal, cette petite.

— Bien maigre : voyez ses salières.

— A dix-huit ans.

— Oh ! elle se mariera bientôt.

— Pourquoi ?

— Elle a une grosse dot.

— Oui, mais son frère fait des dettes.

— Qui épousera-t-elle ?

— On ne sait pas encore. On parlait de Raymond Bercy.

— L'ancien fiancé de Mlle Roquevillard ?

— Il débute comme médecin.

— Justement : il n'a encore tué personne.

Après le galop final, l'avocat Paillet, se trouvant altéré, conduisit sa compagne au buffet, but du champagne, mangea une sandwich au foie gras, et, ainsi restauré, daigna reparaître dans le cercle où sa désertion fut sévèrement appréciée. Mais il se rebiffa en riant :

— Si vous me grondez, vous ne saurez rien.

— Alors, nous vous écoutons.

— Vous en êtes encore, vous autres, à la restitution des cent mille francs par M. Roquevillard à M. Frasne.

— C'est quelque chose.

— Bien peu auprès de ce que vous allez apprendre.

Aux premières notes d'une polka, il tourna la tête et l'on crut qu'il aurait le cœur de repartir en laissant une seconde fois ses auditeurs le bec dans l'eau. Tout un groupe décidé se massa vers la porte pour lui barrer le passage.

— Vous avez chaud, ce serait imprudent, observa M. Latache.

Et l'avoué Coulanges, usant d'un autre moyen, mit en doute la fameuse nouvelle. Aussitôt le nouvelliste ouvrit la bouche pour lâcher sa proie :

— Eh bien ! M. Frasne acquiert pour rien le domaine de la Vigie qui vaut près de deux cent mille francs.

Les exclamations incrédules se croisèrent :

— Par exemple.

— Vous vous moquez de nous.

L'avocat Bastard et M. Vallerois, procureur de la République, qui causaient ensemble à l'écart, se rapprochèrent, l'oreille tendue.

— Parfaitement, accentua l'orateur. Pour rien.

— Mais comment ?

— Voici. M. Roquevillard, pour se procurer l'argent dont il a besoin, a mis en vente la Vigie Me Doudan, notaire, lui en a offert cent mille francs payables immédiatement en se réservant de lui faire connaître l'acquéreur dans la quinzaine. Dans la quinzaine, retenez ce délai. M. Roquevillard, qui n'avait pas le choix avant les assises, a accepté. Il ne pouvait espérer davantage dans un si court espace de temps. Or, par l'indiscrétion d'un clerc, on sait maintenant, — je l'ai appris tout à l'heure, — que le véritable acquéreur, c'est M. Frasne, M. Frasne qui verse cent mille francs d'une main pour les recevoir de l'autre, et qui se trouve ainsi, par un simple jeu, propriétaire d'un domaine magnifique.

Ce machiavélisme dépassait par trop la commune mesure des artifices bourgeois pour ne pas provoquer la stupeur. On n'en recherchait point la cause morale, pas plus qu'on n'avait approfondi le

sacrifice du vieux patrimoine de famille chez les
Roquevillard. M. Frasne, dans la crise douloureuse qu'il avait traversée, et qui ruinait son foyer
sinon sa fortune, s'était rattaché à ce qui demeurait susceptible de le passionner encore, les affaires,
comme un artiste demande à l'art sa consolation ou
une femme de bien à la charité. Les combinaisons
de contrats et de chiffres procuraient un alibi à sa
triste pensée. Il oubliait momentanément son ennui
en débrouillant ceux de ses clients, et dans la satisfaction de conduire avec adresse la bataille des
intérêts. Le sort de la Vigie lui avait inspiré un
de ces coups de tactique audacieux auxquels il ne
savait pas résister. Il espérait que le secret en serait
gardé jusqu'après la session des assises. Mais quel
secret peut se garder dans une ville de moins de
vingt mille habitants où déjà la vie intérieure est
considérée comme une prétentieuse originalité ?

Le premier M. Latache donna son sentiment en
deux mots qui, émanant du président de la Chambre de discipline, valaient un discours :

— C'est incorrect.

— Point du tout, répliqua M. Coulanges. Un
domaine est en vente, on l'acquiert. C'est un droit.

Néanmoins, la savante manœuvre de M. Frasne
ne recueillait qu'un petit nombre d'approbations,
qui lui venaient du camp de la jeunesse, laquelle
place aujourd'hui son enthousiasme, comme ses
fonds, aux guichets solides. Il réussissait trop
bien dans ses entreprises matérielles, et la galerie,
de mœurs sévères et de sens pratique, en tirait
grief contre lui bien plus qu'elle ne s'était divertie
de la fuite de sa femme. De plus, aux yeux d'une

société particulariste, son origine dauphinoise faisait de lui un étranger que de tels gains devaient
enrichir aux dépens du pays. On n'avait point été
fâché, certes, de l'abaissement des Roquevillard
dont l'élévation irritait la médiocrité générale ;
mais on s'étonnait de les voir augmenter eux-
mêmes leur désastre et consommer leur ruine de
leurs propres mains. Pourquoi ce désintéressement
si Maurice n'était pas coupable, et, s'il l'était
pourquoi cet aveu ? Car on ignorait la décision du
jeune homme. M. Hamel était fort secret, et pour
M. Bastard son silence était calculé : friand des
causes retentissantes, il espérait encore qu'on
réclamerait son appui.

Excité par ces révélations, il ne se tint pas de
parler à son tour. Le cercle où l'on discutait fut
rompu, la danse finie, par de nouveaux arrivants.
La conversation reprit de-ci de-là par petits groupes
séparés, comme ces feux qu'on étouffe et dont les
flammes crépitent en s'éparpillant. Le procureur
Vallerois rejoignit M. Bastard dans une embras-
sure.

— Vous aurez beau jeu dans votre plaidoirie,
lui dit-il, pour cribler de sarcasmes le mari de
Mme Frasne.

— Il n'est pas encore certain que je plaide, répliqua l'avocat.

— Comment ! vous ne plaideriez pas ?

Il fallait bien expliquer par une autre cette confidence qui était partie sans réflexion.

— Ce jeune niais ne veut pas être défendu
sérieusement afin de ménager l'honneur de sa
maîtresse.

Ces derniers mots furent prononcés avec une ironie dédaigneuse. Et il expliqua au magistrat attentif que l'inculpé démentait à l'avance toute allusion à la culpabilité de Mme Frasne.

— Si ce n'est vous, qui plaidera ?

— Je l'ignore. M. Hamel sans doute.

Le bâtonnier ne fut pas traité avec beaucoup plus d'égards que la femme coupable. Sa vieillesse et son impuissance étaient mises en relief par le seul énoncé railleur de son nom.

Après quelques instants de silence, M. Vallerois conclut :

— Je comprends maintenant la conduite de M. Roquevillard. Il supprime le vol pour sauver son fils. C'est sa dernière chance. Il n'hésite pas à sacrifier sa fortune... C'est très beau.

Peu sensible à cet hommage, M. Bastard esquissa un geste vague, susceptible de diverses interprétations.

— Tout ceci entre nous, dit-il, pour rattraper son secret professionnel.

Et la barbe soigneusement étalée sur son plastron, il se dirigea vers un groupe de dames, avec la démarche lente et majestueuse d'un paon qui s'apprête à faire la roue.

Resté seul, le magistrat ne se pressa point de rechercher une compagnie. Il continuait de songer à M. Roquevillard avec admiration, et il évoquait la vie douloureuse et vaillante de cet homme depuis le jour où, dans son cabinet, il lui avait transmis la plainte de M. Frasne, et déjà l'avait trouvé désintéressé, fier, prêt au sacrifice.

« Pourquoi, se demandait-il, suis-je seul ici à

comprendre son grand caractère ? Aucune des personnes présentes ne lui va seulement à la cheville, et ces messieurs, tout à l'heure, le traitaient de haut, comme si le malheur l'avait diminué et rendu leur inférieur. La province est vindicative et envieuse. »

Dans ses lignes simples, le drame était émouvant et l'on s'en amusait. Le jeune Maurice, en se livrant désarmé au jury, livrait sa famille, et son père abandonnait le vieux domaine à bas prix pour reconquérir l'enfant prodigue. Mais si l'avocat de l'accusé avait bouche close, une autre voix, plus autorisée que la sienne, tombant de plus haut, pouvait se faire entendre à sa place. Après le réquisitoire de la partie civile, n'appartenait-il pas au ministère public de présenter à son tour la cause ? Au lieu de s'en rapporter « à justice », selon la formule consacrée dans ces sortes d'affaires, plus privées que publiques, son devoir n'était-il pas d'intervenir avec efficacité, de dégager enfin le rôle néfaste, le rôle prépondérant, le rôle unique de Mme Frasne, seule coupable d'un abus de confiance pour lequel elle ne pouvait point être condamnée ? Quelle belle occasion de servir l'équité, de rendre à chacun selon ses œuvres, et d'apporter un peu de joie dans cet intérieur si éprouvé !

Toutes ces réflexions se pressaient dans le cerveau de M. Vallerois. Mais il était dessaisi : un avocat général occuperait aux assises le siège du ministère public, et non lui. La cause de Maurice Roquevillard ne le concernait plus. D'ailleurs, il avait été blâmé de la démarche insolite qu'il avait tentée auprès du notaire l'année précédente, et qui n'avait pu demeurer longtemps secrète. A quoi bon se mêler d'une affaire qui ne le regardait plus et ne lui valait que du désagrément ? Pour sa tranquillité, sa sympathie saurait se contenter d'être passive.

Afin de ne pas approfondir ni juger son égoïsme, il se précipita dans la cohue des invités et fut heureux de sentir du monde autour de lui. La présence de nos semblables est une consolation lorsque nous sommes tentés de mesurer notre petitesse. Encore cette tentation est-elle réservée aux meilleurs.

La promenade au buffet avait provoqué à travers les deux salons, l'antichambre, la salle à manger, un va-et-vient qui se prolongeait et dont profitaient les jeunes gens pour flirter avec les jeunes filles. Les unes, tout au plaisir de la danse, réclamaient bruyamment l'orchestre. D'autres montraient déjà quelques heureuses dispositions dans les petits manèges d'une coquetterie qui se limiterait à la conquête d'un mari. Mais quelques-unes — assez rares — ne vérifiaient point, de ce coup d'œil rapide qu'un observateur remarque, la présence ou l'absence d'une bague à l'annulaire gauche des hommes avant de répondre à leurs avances avec un art accompli. Ces yeux de jeunesse exaltée, comme les bijoux des coiffures, des corsages, des bras, des doigts, brillaient de flammes joyeuses sous les lustres. En taches claires aux contours fondus comme des aquarelles, les toilettes ressortaient entre les habits noirs.

Dans quelle catégorie se rangeait Mlle Jeanne Sassenay, qui précisément s'écartait au bras de

Raymond Bercy, fiancé l'année précédente à
Mlle Roquevillard, tandis que l'œil vigilant de sa
mère la suivait avec sollicitude et aussi quelque
étonnement ? Sa petite tête, proportionnée comme
celle des statues grecques qui, sur les épaules de
pierre, nous apparaissent si élégantes et d'un port
si aisé, se trouvait-elle si légère de cervelle qu'elle
ne pût garder le souvenir de son amie abandonnée ?
Ses regards limpides, d'un azur si frais, n'étaient-
ils qu'indifférents dans leur sincérité ? Du mouvement de la danse, ses joues gardaient une teinte
d'animation. Mais elle ne souriait pas, elle fronçait
les sourcils, elle serrait les lèvres et semblait
prendre une décision grave qui contrastait avec
son joli air d'enfant.

— Je n'ai pas encore dansé avec vous, dit le
jeune homme. Vous m'accorderez bien une valse ?

— Non, répliqua-t-elle durement, après s'être
assurée qu'ils étaient isolés.

— Pourquoi non ? Toutes vos valses sont re-
tenues ?

— Pas du tout.

Il ne la prit pas au sérieux, et, au lieu de se
froisser, il se mit à rire.

— Me voilà prévenu : merci.

Elle poussa un des ces « ahans » de fatigue comme
en ont les ouvriers qui soulèvent de gros poids, et
se lança tout à coup.

— Il faut que je vous prévienne en effet, monsieur. Votre mère a parlé à maman. Et maman n'a
pas de secrets pour moi. Ceux qu'elle a, je les
devine. Eh bien ! jamais, entendez-vous bien,
jamais je ne vous épouserai.

Stupéfait, le jeune homme se rebiffa :

— Pardon, mademoiselle, je n'ai pas demandé votre main.

— Votre mère a tâté le terrain, comme on dit si gentiment.

— Les mères forment beaucoup de projets pour leurs fils... Si flatteur que soit celui-ci, il ne correspond pas à mes intentions.

— Oh ! tant mieux.

— Je ne songe pas à me marier.

— Vous avez tort.

Dans cette bouche puérile ce reproche était singulier et presque drôle. Elle ajouta :

— Quand on a la chance de rencontrer dans sa vie une jeune fille comme Marguerite Roquevillard, on ne détruit pas soi-même un pareil bonheur.

C'était là qu'elle voulait en venir. Il le comprit. Elle aurait pu reconnaître à son changement de visage comme elle avait frappé juste, mais dans un âge si tendre les yeux ne sont pas assez débrouillés pour suivre sur les traits nos mouvements intérieurs. Aussi manqua-t-elle de mesure en l'accablant de son dédain de pensionnaire émancipée.

— C'est toujours vilain, monsieur, de lâcher une fiancée. Et quand elle est malheureuse, c'est abominable.

De quel droit s'autorisait-elle pour le réprimander avec cette virulence ? Raymond Bercy s'en irritait, et pourtant, au fond du cœur, il éprouvait un âcre plaisir à entendre parler de Marguerite. Sa colère et son amertume passèrent dans sa réplique.

— Je ne vous ai pas choisie pour juge, mademoiselle. Et si vous me parlez au nom d'une autre, je vous répondrai...

— Je ne parle au nom de personne.

— ... Que vous êtes mal renseignée. Ce n'est pas moi qui ai rompu des fiançailles qui m'étaient chères.

— Qui vous étaient chères ! Oui, quand le soleil brille, vous autres hommes, vous êtes là ; et dès qu'il pleut, il n'y a plus personne.

— Mais vous êtes trop injuste, à la fin. Je vais perdre patience.

Loin de se taire, elle continua de l'agacer comme une guêpe qui cherche à piquer :

— Celui qui se fâche, il a tort.

— Je n'ai pas de comptes à vous rendre, mademoiselle. Sachez pourtant que Mlle Roquevillard a rompu de son plein gré.

— Par générosité.

— Sans consulter mon cœur, sans souci de ma peine.

— Dans de telles circonstances, vous ne deviez pas accepter la rupture.

Elle était toute rouge, ne se possédait plus, se démenait furieusement, et lui-même n'avait guère plus de calme.

— Et si son frère est condamné ?

— La belle affaire !

— Ah ! vraiment, mademoiselle ?

— Oui, vraiment. Moi, si j'aimais, cela me serait bien égal que mon fiancé fût envoyé aux galères. Je l'y suivrais, entendez-vous, monsieur. Et si pour le suivre il fallait commettre un crime, je le commettrais. Pif, paf, tout de suite.

— Vous êtes une enfant.

Mais brusquement, il changea de ton, et d'une voix sourde, il murmura cette confidence :

— Pensez-vous que je ne la regrette pas ?

Transformée aussi vite que lui et triomphante, elle faillit se jeter à son cou, et de loin Mme Sassenay, qui surprit ce geste, s'en inquiéta et se rapprocha.

— Ah ! je savais bien, monsieur, que vous ne pouviez pas vouloir m'épouser. Eh bien ! dépêchez-vous. Courez avertir Marguerite. Suppliez-la de ma part de vous pardonner. Et revendiquez vite votre place dans la famille avant le procès. Après, il serait trop tard. Cela vaudra mieux que d'administrer à vos malades toutes sortes de mauvaises drogues.

— Merci.

— Allez-y tout de suite.

— Mais il est onze heures et demie.

— Alors, demain.

Mme Sassenay, qui se dirigeait vers sa fille, fut arrêtée par un groupe où l'on parlait avec animation, et qui grossissait d'instant en instant.

— Vous êtes sûr ? demandait M. Vallerois à un jeune officier dont l'uniforme portait les aiguillettes d'état-major.

— Parfaitement. La nouvelle est parvenue à six heures à la division. Le général s'est rendu en personne chez M. Roquevillard.

— En personne, constata M. Coulanges que cette démarche officielle chez un vaincu étonnait et impressionnait.

Mme Sassenay s'informa auprès de son voisin, qui était M. Latache :

— De quelle nouvelle parle-t-on ?

— De la mort du lieutenant Roquevillard, madame. Il est décédé au Soudan de la fièvre jaune.

— Comme *ils* sont malheureux ! murmura-t-elle, émue de pitié.

— N'est-ce pas, madame ?

Un deuil si cruel ramenait aux Roquevillard la sympathie des femmes et détruisait l'hostilité des hommes, tandis qu'on avait supporté avec tranquillité leur décadence matérielle et morale. On les voulait abaissés, et le sort les accablait sans relâche, sans miséricorde. Les partisans de M. Frasne et de sa belle opération se taisaient, et le procureur exprima le sentiment général avec ce mot :

— Les pauvres gens.

Après ce colloque, Jeanne Sassenay disparut. Vainement sa mère la chercha à travers l'appartement. Dans le vestibule, elle aperçut Raymond Bercy qui mettait en hâte son pardessus.

— Vous partez déjà, monsieur ?

— Oui, madame, répondit-il sans expliquer ce départ précipité.

Elle devina le trouble du jeune homme et, rapprochant cette circonstance de la disparition de sa fille, elle commença de s'inquiéter sérieusement.

— Vous n'avez pas vu Jeanne ? demanda-t-elle à son mari qu'elle rejoignit à l'entrée des salons.

— Non. Vous la cherchez ?

M. Sassenay était un homme actif, franc, loyal, mais dépourvu de psychologie, capable de surmonter les plus grands obstacles matériels et incapable de s'attarder à l'analyse des sentiments. Elle jugea inutile de lui communiquer ses craintes, et se contenta de lui recommander le soin de leurs invités. Puis elle se dirigea tout droit vers la chambre de sa fille. Elle entra et n'eut qu'à tourner le bouton de la lumière électrique pour la découvrir qui, toute repliée et comme rapetissée dans un fauteuil pleurait sans aucun souci de froisser sa robe. Aussitôt elle l'interrogea en la caressant.

— Jeanne, qu'as-tu ?

— Maman.

C'était une plainte de petit enfant qui s'apaisa bien vite.

— Pourquoi pleures-tu ?

— Je pense au chagrin de Marguerite tandis que je danse.

Mme Sassenay respira. Elle connaissait la grande amitié de sa fille pour· Mlle Roquevillard. Mais comme les sanglots ne s'arrêtaient pas, elle interrogea doucement :

— Te rappelles-tu le lieutenant Hubert ?

— Oui... il était gentil... mais au tennis nous nous disputions. Il était toujours le plus fort.

La peine de la jeune fille ne venait pas de là.

— Pauvre Marguerite, ajouta-t-elle sans s'occuper des transitions. Je préférais à Hubert Maurice qui est en prison. Il sera acquitté, n'est-ce pas ?

— Je l'espère, ma chérie.

— Un innocent acquitté et même condamné, c'est quelque chose de beau, n'est-ce pas, maman ?

— Es-tu sûr qu'il soit innocent ?

— Le frère de Marguerite ? Par exemple !

Mme Sassenay sourit de cette révolte et de cette

certitude qu'à dessein elle avait provoquées. Et
tout en câlinant sa fille, elle se rappela une conversation lointaine qu'elle avait eue avec Mme Roquevillard au sujet de leurs enfants : « Un jour
peut-être, lui avait dit la sainte femme, si Maurice
le mérite, je vous demanderai pour lui la main de
votre enfant. Ainsi, elle restera près de vous. »
Maurice ne l'avait pas méritée, mais sur une fillette
trop généreuse, il continuait d'exercer son prestige
d'autrefois. Là était le péril. Il fallait y prendre
garde. Et tandis qu'elle se promettait d'y veiller,
la mère de Jeanne pensait malgré elle aux autres
Roquevillard, aux morts et aux vivants, si méri-
tants, eux, et si éprouvés.

Le bruit de l'orchestre parvenait à demi étouffé
jusque dans la chambre.

— Essuie tes yeux, petite. Doucement. Un peu
de poudre. Bien. Tu es jolie, ce soir. Maintenant,
retournons vite au salon. On va remarquer notre
absence.

— C'est vrai, maman. J'ai promis cette valse.

Et subitement rassérénée, la jeune fille précéda
sa mère dans le corridor.

... A cette même heure, Raymond Bercy, que la
mort de son ami Hubert avait bouleversé, faisait
les cent pas devant la maison des Roquevillard.
Les toits du Château, couverts de neige, s'éclai-
raient vaguement à la lueur des étoiles. La tour
des Archives et le donjon paraissaient veiller
comme des sentinelles sur la ville endormie. Par
les quatre fenêtres du cabinet de travail qu'il
connaissait bien, filtrait entre les persiennes une
mince clarté. Là, Marguerite et son père, frappés

au cœur une fois de plus, souffraient ensemble.

Il eut envie de monter, et il n'osa pas. Son engagement rompu, la répugnance de ses parents, l'opinion du monde, tous les obscurs mobiles d'égoïsme le retenaient encore. Mais dans la nuit froide, au cours de cette promenade qui se prolongea tard, il sentit mieux son cœur, et que la douleur et la pitié, mieux que la joie, élargissent l'amour.

IV

LE CONSEIL DE LA TERRE

Il importait de prendre une décision. Accablé depuis la veille par la perte de son fils dont il savait, par une pièce laconique et officielle, qu'il était mort au service de la patrie, loin de tout secours, dans un poste avancé, M. Roquevillard n'avait pas même la suprême consolation de se rassasier de sa douleur. Hubert, parti aux colonies pour chercher le danger et relever le nom compromis, était la dernière victime expiatoire de l'erreur de Maurice oublieux de la famille. Or Maurice, le lendemain, comparaissait aux assises, et l'on se débattait toujours dans les difficultés voulues de sa défense. Sans doute, le sacrifice du patrimoine ne pouvait être vain. Sans doute, la réparation du préjudice rendait l'acquittement sinon certain, du moins probable, et renversait les chances au profit de l'accusé. Mais cet acquittement même, il ne fallait pas qu'il fût arraché à la faveur ou à la pitié. Pour reprendre sa place au foyer, dans la cité, au barreau, pour continuer une tradition et la transmettre à son tour, le jeune homme devait sortir du Palais de Justice lavé de tout soupçon injurieux, déchargé de toute faute contre la loi et contre l'honneur. Et comment l'ob-

tenir sans prononcer le nom de Mme Frasne ? Il
est vrai que M. Bastard, après la vente de la Vigie,
était revenu sur son refus de plaider.

— Ça vous coûte plus cher que ça ne vaut, avait-
il dit à son confrère avec son cynisme professionnel. Mais cette générosité attendrira les jurés. Ces
gens-là, qui tondraient sur un œuf et tueraient
pour un poirier, pleureront comme des veaux en
apprenant que vous avez vendu votre terre pour
désintéresser la victime. Ils seraient bien capables,
à la réflexion, de condamner quand même, à cause
du mauvais exemple que vous donnez, si la belle
opération de M. Frasne, dévoilée à l'audience en
argument final, n'était destinée à les précipiter
dans une envie furieuse et favorable.

Car il estimait peu la justice et l'humanité. Il
connaissait le dossier, il s'offrait. Par sa réputation il s'imposait. A cinq heures il devait une dernière fois s'entendre dans le cabinet de M. Roquevillard avec celui-ci et M. Hamel sur les grandes
lignes de sa plaidoirie. Cependant le père de Maurice n'avait pas confiance dans cet art théâtral et
sceptique pour soutenir la cause de sa race.

Après le déjeuner auquel sa fille et lui touchèrent
à peine, il se leva pour sortir. Entre ces murs sa
douleur trop pesante l'étouffait. Dehors, il réflé-
chirait mieux. L'air vivifierait ses pensées, ses
forces épuisées, son énergie vaincue. Comme il
gagnait la porte, Maguerite l'appela :

— Père.

Il se retourna, docile. Depuis la mort de sa
femme, avant même, elle était sa confidente, son
conseil, la suprême douceur de ses jours. Le départ

du petit Julien, emmené à Lyon par Charles Marcellaz le lendemain du conseil de famille, les avait laissés seuls en face l'un de l'autre, dans la maison peu à peu vidée. Cette nuit encore, ils l'avaient passée ensemble presque jusqu'au matin, à parler d'Hubert, à pleurer, à prier. Quand elle fut près de lui, il posa lentement la main sur ses beaux cheveux. Elle comprit qu'il la bénissait tout bas sans parler, et ses yeux, si vite voilés, si accoutumés aux larmes, se mouillèrent une fois de plus.

— Père, reprit-elle, qu'avez-vous décidé pour Maurice ?

— Bastard est prêt à le défendre. A cinq heures il viendra ici avec M. Hamel. Je vais préparer à l'air mes dernières instructions.

— Vous n'avez pas besoin que je vous accompagne ?

— Non, petite. Sois sans inquiétude sur moi. Je travaillerai en marchant. Nous n'avons pas le loisir d'ensevelir nos morts. Les vivants nous réclament.

— Alors, moi, je vais à la prison, murmura la jeune fille.

— Oui, tu *lui* apprendras le malheur.

— Pauvre Maurice, comme il va souffrir !

— Moins que nous.

— Oh ! non, père, autant que nous et plus que nous. Il s'adressera des reproches.

— Il le peut. Hubert est parti à cause de lui.

— Justement, père. Nous pleurons, nous, sans retour sur nous-mêmes. Ne lui dirai-je rien de votre part ?

— Non, rien.

— Père...

— Dis-lui... dis-lui qu'il se souvienne qu'il est le dernier des Roquevillard.

Il sortit, passa devant le château et gagna la campagne. C'était un beau jour d'hiver et le soleil brillait sur la neige. Machinalement, il prit la route de Lyon qui conduisait à la Vigie, et qui était sa promenade habituelle. Elle traverse le bourg de Cognin et, après les scieries du pont Saint-Charles, s'engage, entre les coteaux de Vimines et de Saint-Cassin, contreforts de la montagne de Lépine et du Corbelet, dans un long défilé qui aboutit à la passe des Echelles. Parvenu à cet endroit, M. Roquevillard, absorbé dans sa méditation, suivit à gauche le chemin rural qui desservait son ancien domaine. Il traversa le vieux pont jeté sur l'Hyères, mince filet d'eau coulant entre deux bordures de glace et dont les peupliers et les saules dépouillés ne cachaient plus le cours. Après un contour il se trouva dans un pli de vallon désert que fermaient les pentes de Montagnole dont le clocher se profilait sur le ciel. Mais il ne remarqua pas sa solitude. Au contraire, il marcha plus allègre et sentit un allégement à sa douleur. N'était-il pas chez lui, chez lui des deux côtés ? Et la bonne terre ne lui apportait-elle pas le réconfort de sa vieille et sûre amitié, des souvenirs d'enfance dont elle conservait la grâce, de tout le passé humain qui l'avait refaite après la nature ? A gauche, ce vignoble aux ceps ensevelis dont il ne distinguait que les piquets reliés par leurs fils de fer, il l'avait encore vendangé à l'automne. A droite, au delà du ruisseau qui sert de limite aux deux communes voisines,

ce coteau dégarni qu'un seul arbre dominait, c'était
le bois de hêtres, de fayards et de chênes qu'il
avait acquis de son épargne pour arrondir sa propriété, et dont il avait ordonné la coupe. Au bout
de la montée il atteindrait la maison qu'il avait restaurée et dont la vétusté même témoignait de la
durée de la race et de son goût de la solidité. Il
entrerait à la ferme, il caresserait les enfants, il
boirait un petit verre d'eau-de-vie qu'il distillait
lui-même avec la fermière qui ne redoutait point
l'alcool, et surtout il embrasserait du regard le
vaste horizon dont les formes tourmentées des
monts, les plaines fertiles, un lac lointain composaient les lignes immobiles et inspiratrices, puis
l'horizon plus restreint de la Vigie et de ses diverses
cultures.

Ainsi, distrait, il marchait. Sur le sol familier,
son pas reprenait l'allure vive d'autrefois, du
temps qu'il se sentait jeune en dépit des ans puisqu'il était heureux, entouré, appuyé.

Brusquement, il s'arrêta :

« Ici, avait-il pensé tout à coup, je ne suis plus
chez moi. La Vigie est vendue. Les Roquevillard
n'y sont plus les maîtres. Que viens-je y faire ?
Allons-nous-en. »

Et il rebroussa chemin, la tête basse, comme un
vagabond surpris dans un verger.

Il s'arrêta au ruisseau qui séparait Cognin de
Saint-Cassin. Il le franchit et se trouva, cette fois,
sur le morceau de terre qui, sans lien étroit d'exploitation avec le domaine, n'avait pas été compris
dans l'acte de vente et demeurait désormais sa
seule fortune immobilière. Au bas de la pente il

s'arrêta un instant pour reprendre son souffle,
comme une troupe en retraite qui rencontre un
abri. Puis il commença de gravir le coteau, non sans
peine, car il glissait et devait enfoncer sa canne
pour se maintenir. Le sentier, mal frayé, finissait
par se perdre tout à fait. Alors il se dirigea sur
l'arbre qui se découpait, solitaire, au sommet de la
colline. C'était un vieux chêne qu'on avait respecté,
non pour son âge ni pour l'effet de sa taille et de son
essor, mais pour un commencement de pourriture
qui en avilissait le prix. Ses feuilles tenaces, toutes
resserrées et recroquevillées comme pour mieux se
défendre, refusaient, même desséchées, de quitter
les branches, et leur teinte de rouille, çà et là,
apparaissaient sous le givre. Le long de la pente, les
troncs coupés que les bûcherons n'avaient pas eu le
temps d'emporter avant l'hiver gisaient comme des
cadavres dans la neige, les uns vêtus de leur écorce,
les autres déjà nus.

Enfin M. Roquevillard parvint à son but. Il
toucha de la main, comme un ami, l'arbre qui
l'avait attiré jusque-là. Et il en admira la grandeur
et la fierté.

« Tu es comme moi, songeait-il en s'épongeant
le front. Tu as vu frapper tes compagnons et tu
demeures seul. Mais nous sommes condamnés. Le
temps sera la hache qui nous abattra bientôt. »

Il s'était un peu attardé en montant. Bien que
l'après-midi ne fût pas avancé, le soleil inclinait
déjà vers la chaîne de Lépine. Les jours en décembre sont si courts, et la proximité de la montagne les raccourcissait encore. De la colline, il
commandait presque le même horizon que de la

Vigie : en face le Signal, en bas la fuite du val des Echelles, et sur la droite, au fond, après la plaine, le lac du Bourget, la chaîne du Revard, le Nivolet aux gradins réguliers. La neige atténuait les contours, confondait les plans, adoucissait, uniformisait le paysage. Les menaces du soir la teintaient d'un rose délicat. C'était, sur les choses, comme un frisson de chair.

Malgré la pureté du ciel, M. Roquevillard sentit le froid et boutonna son pardessus. Maintenant que la marche ne l'échauffait plus, il retrouvait son âge et sa peine. Pourquoi avait-il gravi ce coteau dont la pente, avec ses arbres abattus qui jonchaient le sol blanc, lui apparaissait semblable à un cimetière ? Venait-il ici, en face du vieux domaine abandonné après l'effort conservateur de plusieurs siècles, contempler sa ruine et mener le deuil de ses espérances ? Il pouvait distinguer, de l'autre côté du vallon, les bâtiments et les terres qui, par héritage, lui avaient appartenu. La maison qui, l'année précédente, abritait encore toute la famille rassemblée et joyeuse, était close maintenant, et jamais plus il n'y rentrerait.

Sur ce tertre dépouillé, funéraire, le silence et la solitude l'environnaient. Autour de lui, en lui, c'était la mort. Et comme un chef vaincu, après la bataille, fait l'appel, il évoqua une à une ses douleurs : sa femme épuisée, achevée par le chagrin ; sa fille Félicie donnée à Dieu, partie au delà des mers, perdue pour lui ; Hubert son fils aîné, son meilleur fils, frappé en pleine jeunesse, loin de France, loin des siens ; Germaine, fuyant le pays natal, Marguerite vouée au célibat par sa pauvreté, et le dernier des Roquevillard, celui de qui l'avenir de la race dépendait, retenu en prison sous une accusation infamante, menacé d'une condamnation même après le sacrifice du patrimoine. Vainement il avait consacré soixante années au culte de la famille. La famille décimée, accablée par la faute d'un unique descendant, gisait au pied de la Vigie, comme ces troncs coupés qui trouaient la neige. A lui, dont la force et la foi robustes promettaient la victoire, revenait la honte de la défaite.

Dans son découragement, il s'appuya au chêne comme à un frère d'infortune. Il eut un long gémissement désespéré, celui de l'arbre qui, sous les coups répétés de la cognée, oscille tout à coup et, va choir. Le ciel et la terre, aux couleurs calmes immobiles, n'entendaient pas sa plainte. Et il se sentit abandonné.

Deux larmes coulèrent sur ses joues. C'étaient de ces larmes d'homme, rares et émouvantes parce qu'elles sont un aveu d'humilité et de faiblesse. A cause du froid, elles descendaient lentement, à demi gelées sur la chair sans chaleur. Il ne songeait pas qu'il pleurait. Il ne le comprit qu'en apercevant une forme humaine qui, lentement, à son tour, gravissait la pente. Et pour ne pas être surpris dans sa douleur, il s'essuya les yeux. La forme noire était une vieille femme qui ramassait du bois mort pour en faire un fagot. Penchée sur le sol blanc, elle ne le voyait pas. Quand elle fut près du chêne, elle se redressa un peu et le reconnut.

— Monsieur François, murmura-t-elle.

— La Fauchois.

Elle s'approcha encore, posa son fardeau, chercha

ce qu'elle pouvait bien dire, et ne trouvant rien, elle se mit à sangloter, non pas silencieusement, mais tout haut.

— Pourquoi pleures-tu ? lui demanda M. Roquevillard.

— C'est pour vous, monsieur François.

— Pour moi ?

— Oui.

Il n'avait jamais confié sa peine à personne. Sa fierté distante écartait la commisération. Pourtant il accepta celle de la vieille pauvresse, et lui tendit la main.

— Tu as su mes malheurs ?

— Oui, monsieur François.

— Le dernier ?

— Oui... par un de Saint-Cassin qui est revenu ce matin de la ville.

— Ah !

Ils se turent, puis la Fauchois recommença de se lamenter à haute voix. Le silence dans la douleur est contraire aux natures primitives.

— M. Hubert, si gaillard, si jeunet, et gentil avec tout le monde... A la cuisine il venait regarder les plats et riait avec nous... Et Madame... Madame c'était une sainte du bon Dieu. Tout ça, monsieur François, c'est de la graine de paradis.

M. Roquevillard, immobile, muet, enviait les morts qui se reposaient. Déjà la Fauchois, bavarde, reprenait :

— Et M. Maurice, on vous le rendra ?

Et tout bas, avec cette peur de la justice, fréquente dans le peuple, elle ajouta :

— C'est demain qu'il passe.

Il la vit se signer comme pour implorer le secours divin. Involontairement il se souvint de la fille de cette femme qui avait été condamnée pour vol et il s'en informa avec douceur, car son âme éprouvée ne connaissait plus le mépris.

— Et ta fille, en as-tu de bonnes nouvelles ?

— Elle m'est revenue, monsieur François.

— Elle a bien fait.

— Oh ! elle n'y a pas de mérite. C'est la néces- sité. Elle est revenue de Lyon toute malade. Elle ne veut pas guérir.

— Qu'a-t-elle ?

— C'est à la suite de ses couches.

— De ses couches ? S'est-elle mariée ?

— Non, monsieur François. Seulement elle a un enfant. Un petiot mignon et vif qui frétille tout le long du jour. Je ne voulais pas le voir, cet ange. Vous comprenez, à cause de la honte. Et quand je l'ai vu, d'une risette il m'a tourné les sangs. Maintenant, c'est tout mon plaisir.

— Est-ce une fille ?

— Une fille ? Vous voulez dire un garçon, un gros garçon bien dodu.

— C'est bien des charges pour toi.

— Pour sûr. Mais quand je rentre, je vois ce gosse qui biberonne et ça me fait l'effet d'un verre de votre vin. Une chaleur et du goût à vivre.

— Tu es déjà vieille pour travailler.

— Justement. Je ne suis plus bonne qu'à ça.

Ainsi, de sa misère même, elle tirait des conso- lations, et le malheur apportait à ses derniers jours un suprême intérêt. Distrait de son propre cha- grin par ce récit, M. Roquevillard admira la pauvre

femme qui, sans le savoir, lui donnait un exemple
de pardon et de courage. Elle se pencha pour re-
charger son fagot sur l'épaule.

— Au revoir, monsieur François.

— Où vas-tu ?

— A Cognin, porter mon bois au boulanger.

— Attends.

Il voulut, pour l'assister dans sa détresse, lui
donner une pièce de cinq francs, mais elle refusa.

— Prends, te dis-je.

— Monsieur François, maintenant la Vigie, ce
n'est plus à vous, à ce qu'ils racontent.

Le front de l'avocat se rembrunit.

— Non, la Vigie n'est plus à moi. Prends tout
de même. Cela me portera bonheur.

Elle comprit qu'elle l'humilierait par un refus et
tendit la main. Elle descendit la pente en pliant
sur les jambes à chaque pas afin de ne pas glisser.
Il la regarda qui diminuait jusqu'à n'être plus
qu'un point noir dans le fond du val. Et il se
retrouva seul, mais différent. Cette pauvresse venait de lui rendre au centuple le secours d'énergie
qu'il avait pu lui donner l'année précédente aux
vendanges.

Le soir, pendant ce colloque, était venu. Il se
faisait dans la nature immobile et comme figée sous
la neige ce recueillement solennel et mystérieux qui
précède la fuite du jour. Les contours des montagnes
se fondaient avec le bord du ciel pâle. Aucun bruit
ne troublait le silence, plus impressionnant dans
son indifférence que le déchaînement d'une tourmente.

Au bas de la colline, le petit ruisseau glissait

sournoisement sous une mince couche de glace qui,
rompue, se reformait. La terre, d'une seule teinte,
paraissait ensevelie dans sa blancheur, comme un
joyau dans l'ouate.

M. Roquevillard fixait la Vigie fermée, déserte,
veuve de la race qui l'avait conquise. Cette vue
l'attirait, le fascinait. La Fauchois avait réveillé
en lui l'instinct de lutte, éloigné de lui le désespoir.
Le chef de famille écartait la douleur pour songer
à l'enfant dont il avait la charge. Il cherchait un
moyen de le sauver. Mais son regard, qui implorait
comme une supplication, se heurtait à cet envelop-
pement froid et cruel de l'espace clair et sans paroles,
sans aucune de ces paroles que prononcent les saisons de vie, le printemps, l'été, et l'automne même.
Comment défendre son fils avec le seul passé ?
Quel concours attendre de la terre abandonnée,
de la race descendue au tombeau ? Et tout haut, il
répéta les mots que M. Bastard lui avait dits en lui
apprenant que l'accusé refusait de discuter l'accusation :

— On ne plaide pas avec les morts.

Le soleil qui touchait la ligne de faîte jeta son
dernier éclat. Aux pentes des monts, la neige accu-
mulée parut tressaillir sous ses feux, et comme
réveillée d'une léthargie s'empourpra. Enfin, l'horizon immobile s'animait sous la lumière. Silen-
cieux et immaculé, il consentait à sentir la vie et
à l'exprimer. La terre frémissante se séparait
nettement du ciel dont le bleu pâle se teintait
de mille nuances où dominait l'or. Et plus près, le
givre qui recouvrait les arbres et les buissons
refléta les rayons du couchant comme ces pierres qui

résument en un tout petit espace la clarté des lustres.

Les yeux fixés sur la Vigie, M. Roquevillard assistait à ce phénomène de résurrection. Aux caresses du soir, pour quelques instants la nature renaissait. Le sang de nouveau circulait sur son visage de marbre. Le long des vignes, au sommet du coteau atteint plus directement par les flèches presque horizontales du soleil, au lieu d'un terrain uniforme dans sa blancheur, le propriétaire dépossédé distinguait maintenant, reconnaissait les mouvements du sol qui lui rappelaient l'emplacement des cultures, et voici que de-ci, de-là, les arbres, — hauts peupliers calmes et fiers comme des palmes droites, tilleuls aux branches en fusées, minces bouleaux, châtaigniers massifs, délicats arbres fruitiers aux membres chétifs et pourtant si experts à porter leur charge, — tout à l'heure anonymes et brouillés, lui parurent surgir comme des personnages.

Et il ne sentit plus son isolement, car il nomma ces fantômes. Avec une émotion croissante, il évoqua toutes les générations successives qui avaient défriché ces terres, bâti cette maison de campagne, cette ferme, ces rustiques, fondé ce domaine, depuis la première blouse du plus ancien paysan jusqu'aux toges du Sénat de Savoie, jusqu'à sa robe d'avocat. Le plateau qui s'étendait à sa hauteur, en face de lui, était occupé comme un fort, par la chaîne de ses ancêtres qui, avec le blé, le seigle, l'avoine, et les vergers et les vignes, avaient implanté sur ce coin de sol une tradition de probité, d'honneur, de courage, de noblesse. Et comme les produits du patrimoine en répandaient au loin la réputation, cette tradition rayonnait sur la cité que là-bas, au fond du cirque de montagnes, l'ombre commençait d'envahir, sur la province qu'elle avait servie, protégée, illustrée même à certaines heures historiques, et jusque sur le pays dont la force était faite de la continuité et de la fermeté de ces races-là.

Et il répéta pour la seconde fois :

« On ne plaide pas avec les morts. »

Mais il ajouta aussitôt :

« Avec les morts, non, mais avec les vivants. Ils sont là, tous. Pas un ne manque à l'appel. La terre s'est ouverte pour les laisser passer. Ce vallon qui nous sépare, je le franchirai. Je veux les rejoindre. »

Et il mesura le creux du val déjà noir, comme si tous ces fantômes s'y étaient massés.

L'ombre s'emparait de la nature. Déjà toute la plaine lui appartenait. Elle montait. Les montagnes la défiaient encore, et spécialement le Nivolet en étages qui, faisant face au couchant, en recevait toute la flamme, et dont la neige pourpre et violette semblait échauffée comme un métal en fusion.

Penché vers le bas de la colline, M. Roquevillard suivait cet effort. Et tout à coup, il tressaillit de tout son être. Avec l'ombre, les ombres montaient, toutes les ombres. Elles avaient quitté la Vigie, elles venaient. Tout à l'heure c'étaient elles qu'il avait vues groupées au fond du vallon. Elles lui apportaient leur présence, leur assistance, leur témoignage. Il y en avait sur toutes les pentes. C'était comme une armée qui se ralliait autour de son chef debout au pied du chêne. Et quand toute l'armée fut rassemblée, il l'entendit qui lui réclamait la victoire.

« Nous avons travaillé, aimé, lutté, souffert, non point dans un dessein personnel, pour un but atteint ou manqué par chacun de nous, mais à une fin plus durable et qui nous dépassait, en vue de la famille. Ce que nous avons réservé pour le fonds commun, nous te l'avons confié pour le transmettre. Ce n'est pas la Vigie. Une terre s'acquiert avec de la sueur et de l'ordre. C'est l'âme de notre race que tu portes en toi. Nous avons confiance en toi pour la défendre. Que parlais-tu, dans ton désespoir, de solitude et de mort ? De solitude ? Compte-nous et dis-nous d'où tu viens ? De mort ? Mais la famille est la négation de la mort. Puisque tu vis, nous sommes tous vivants. Et quand tu nous rejoindras à ton tour, tu revivras, il faut que tu revives dans tes descendants. Vois : à cet instant décisif, nous sommes tous là. Soulève ta douleur comme nous avons soulevé la pierre de nos tombes. C'est toi, entends-tu, à qui est réservé l'honneur de défendre, de sauver le dernier des Roquevillard. Tu parleras en notre nom. Après ta tâche accomplie, tu pourras nous rejoindre dans la paix de Dieu... »

M. Roquevillard, de la main, s'appuya au chêne. L'ombre assiégeait le Nivolet dont le gradin supérieur que surmonte une croix flamboya encore avant de s'éteindre. Alors il connut un grand calme intérieur et accepta la mission qu'il recevait du passé.

« Maurice, ton défenseur, ce sera moi... Et je ne prononcerai pas le nom de Mme Frasne. »

Comme il abandonnait l'arbre, il considéra l'emplacement qu'il quittait :

« Là, pensa-t-il, je rebâtirai... Moi ou mon fils. »

V

LES FIANÇAILLES DE MARGUERITE

La mort d'Hubert avait bouleversé Maurice et rompu l'orgueil qui l'isolait encore de la famille. Marguerite revenait de lui porter la triste nouvelle à la prison. Dans la rue elle marchait sans rien voir, enfermée dans sa peine. Dès la porte, elle demanda à sa domestique :

— Monsieur est-il rentré ?

Avec cette force de résistance contre la douleur morale qui est moins exceptionnelle chez une femme que chez un homme et qui lui permettait de consoler au lieu de s'abandonner, après son frère elle courait soutenir son père.

— Pas encore, mademoiselle, lui fut-il répondu.

Elle s'étonna et s'inquiéta :

— Pas encore ?

Cependant, elle était demeurée longtemps à la prison. Le soir venait. M. Roquevillard n'était sorti que pour une courte promenade. Il attendait à cinq heures MM. Hamel et Bastard avec lesquels il devait prendre les dernières dispositions en vue de l'audience du lendemain. Cette absence prolongée, en de telles circonstances, était singulière.

Déjà la servante ajoutait :

— Mais il y a au salon un monsieur qui a demandé à voir mademoiselle.

— Moi ?

— Oui, mademoiselle.

— Qui est-ce ?

— Il a bien dit son nom. Je ne l'ai pas retenu. Un docteur.

C'était une fille de la campagne, peu acclimatée encore, et peu familiarisée avec les figures et les noms de la ville.

— Il ne fallait pas le recevoir, Mélanie, dit Marguerite sur un ton de reproche. Un jour comme aujourd'hui.

— Bien oui, mademoiselle, je pensais bien. Il n'a pas voulu s'en aller. Il a une commission à faire à mademoiselle.

Marguerite entra au salon à contre-cœur en gardant son chapeau et son voile de deuil afin d'inviter l'importun au départ. Elle s'y trouva en face de Raymond Bercy. Aussi ému que la jeune fille, il murmura :

— Mademoiselle...

Elle eut un mouvement de recul qu'il surprit et, d'une voix suppliante, il tenta de la retenir :

— Mademoiselle Marguerite, pardonnez-moi d'être venu. J'ai appris hier soir votre malheur. Alors...

— Monsieur, dit-elle en s'avançant.

Ce seul mot, prononcé avec fermeté, le rejeta à distance, lui refusait le droit de la plaindre. Comme son père, elle écartait la pitié. Déconcerté, son ancien fiancé baissa la tête, et garda le silence. Plus doucement, elle reprit :

— Pourquoi, monsieur, insister pour me voir...
aujourd'hui ?

Il releva les yeux sur elle et, l'implorant humblement du regard, il soupira :

— Parce que demain, il serait trop tard.

— Trop tard ? demain ? Vous avez quelque chose
à me dire ? S'agit-il de Maurice ?

Elle s'oubliait elle-même et ne songeait pas qu'elle
pût être en cause. Tout lien n'avait-il pas été rompu
entre elle et Raymond depuis un an, du jour où,
chez Mme Bercy, elle n'avait pas craint de briser
ses fiançailles pour défendre l'honneur de son nom ?
Le jeune homme n'avait rien tenté pour reconquérir son affection et sa promesse. Les événements
s'étaient précipités comme la tempête : la dénonciation de M. Frasne, la mort de Mme Roquevillard,
la condamnation de Maurice par contumace, la
honte et la ruine de la famille, et, dernière cruauté
du sort, la perte de l'aîné, réserve de l'avenir. C'était
plus qu'il n'en fallait pour justifier l'abandon, l'éloi-
gnement, l'oubli. Le privilège du malheur n'est-il
pas de faire le vide ? Elle avait dévoré dans la solitude ses larmes et son affliction. Elle en avait jalou-
sement épuisé l'amertume sans la partager. De quel
droit celui-ci revenait-il maintenant lui imposer son
inutile présence et son inactive sympathie ? Mais
sans doute une autre cause le déterminait à cette
démarche. Il savait quelque chose peut-être qui
intéressait la défense de l'accusé. A ce titre, à ce
seul titre elle l'excusa d'avoir forcé la consigne et
de s'être introduit dans la maison.

Il ne se pressait point de s'expliquer. Visiblement
il était sous l'empire d'un grand trouble intérieur.

— Parlez, monsieur.

D'une voix blanche, il répondit :

— Il ne s'agit pas de Maurice.

— Alors ?

Elle fit un pas vers lui, et repoussa le voile qui gênait ses mouvements et la dissimulait à demi. Ainsi rapprochée, droite et rigide, elle lui parut plus distante encore. Entre la robe et la coiffure noires, le visage ressortait si pâle, avec les yeux meurtris et les lèvres minces comme un unique trait rouge, que la sentant lointaine et douloureuse, craignant de ne la pouvoir fléchir et avide de lui porter le secours de sa tendresse passionnée, il retint ses larmes, appela tout son courage à lui, et commença en balbutiant, puis d'une voix qui peu à peu se raffermit :

—— Mademoiselle, écoutez-moi. Il faut que vous m'écoutiez. Après, vous me comprendrez et vous me pardonnerez. Je devais vous parler, vous parler aujourd'hui. Votre douleur, je la respecte, je la ressens. Ne protestez pas, je vous en prie. Vous ne pouvez pas m'empêcher de sentir votre peine. Je souffre aussi, moi, depuis le jour... Et ma souffrance me permet de mieux connaître celle des autres. Je vous aimais. Ah ! ne m'arrêtez pas. Laissez-moi finir. Oui, je vous aimais. Je n'envisageais mon avenir qu'avec vous. Mais je rencontrais chez moi tant d'opposition, tant d'obstacles, à cause... à cause de votre frère. Ma mère, qui est si bonne au fond, cède à tous les préjugés. Mon père songeait à ma carrière. Il est homme de science, il vit dans son cabinet, ou bien auprès de ses malades. A la maison, il ne gouverne pas. Et moi... Ah ! non, je ne veux pas continuer d'accuser les autres pour atténuer ma faute. J'ai été lâche, abominablement lâche. Mais j'en ai été bien puni. Je ne vous ai pas défendue, je n'ai pas su vous défendre.

A plusieurs reprises, du geste, elle avait tenté de l'interrompre. Redressée et inconsciemment dédaigneuse, elle le regardait en face. Elle montrait dans l'action cet air de hauteur naturel aux Roquevillard et qui leur avait valu tant d'ennemis. Mais elle le corrigeait par la mélancolie voilée des yeux et par l'expression mystique qu'elle tenait de sa mère :

— Je ne vous avais pas demandé de me défendre, répondit-elle simplement.

— C'est vrai, Marguerite...

Il abandonnait, dans l'émotion, les formules de politesse, et l'appelait comme autrefois, du temps qu'il était son fiancé.

— Et même, ajouta-t-il, je vous en voulais de votre mépris.

— Je ne méprise personne, monsieur.

— Vous m'avez tant blessé, rien qu'en me regardant, ce jour où vous m'avez rendu ma parole. Vous avez été si dure...

— Dure, moi ?

Elle prononça presque à mi-voix ces deux mots, estimant inutile toute réplique, et révoltée intérieurement d'une telle injustice.

— Oui, reprit-il, je ne comprenais pas encore qu'il convient d'être fier dans le malheur. Je vous maudissais, mais j'avais le cœur brisé. Et je vous accusais, au lieu d'avouer la misère de mes doutes,

de mes craintes, et mon souci mesquin de l'opinion. J'ai bien changé, je vous le jure. Maintenant
je vous admire, je vous vénère, je vous adore. Si.
Ne dites rien : laissez-moi achever. J'ai essayé de
vous oublier. Mes parents ont voulu me marier
ailleurs, m'établir, comme ils disent. Je n'ai pas
pu. Je n'aime, je ne puis aimer que vous.

— Je vous en prie, monsieur.

— Le peu de bien que je puis faire, c'est vous
qui en êtes la cause. Petit à petit, je m'élèverai
jusqu'à vous. Les hommes comme moi, tous les
hommes sont flottants entre le bien et le mal, entre
le dévouement et l'égoïsme. Ils ne réfléchissent
pas, ils sont entraînés par toute la médiocrité de la
vie. Mais il suffit parfois d'un élan pour qu'ils se
dépassent. Votre amour m'a donné cet élan, Marguerite.

Il s'arrêta, attendant un mot d'espoir. Elle baissait les yeux, et le voile qu'elle ne retenait plus
retombait sur l'épaule, projetait un peu d'ombre
sur l'un des côtés du visage. Il murmura comme
une prière :

— Marguerite, rendez-moi votre parole. Acceptez
de devenir ma femme... Je vous aime. Pour toute
votre douleur, je vous aime davantage.

Il la vit toute frissonnante, mais sans hésiter,
elle répondit :

— C'est impossible. Ne me demandez pas cela.

Interloqué par ce refus quand un reste de vanité
le persuadait encore de la générosité de sa démarche,
il eut comme un cri de détresse :

— C'est le bonheur de ma vie et je ne vous le
demanderais pas ?

Alors elle vint à lui et sa voix prit une douceur nouvelle pour lui dire :

— Une autre femme vous donnera ce bonheur. J'en suis sûre. Je le désire pour vous.

— Il n'est pas d'autre femme que vous à mes yeux.

— Non, non, c'est impossible. Ne me tourmentez pas.

— Impossible, pourquoi, Marguerite ? Pourquoi me décourager ? Vous ne m'aimez pas. Un jour, peut-être, je saurai me faire aimer de vous. Vous secouez la tête ? Oh ! mon Dieu ! m'écarterez-vous sans une raison ?

Elle parut chercher, hésiter, prendre un détour. Anxieux, il guettait sa réponse :

— Je ne suis plus la jeune fille que j'étais l'an dernier.

— Je ne comprends pas.

— Je n'ai plus de dot.

— C'était cela ? Marguerite, je ne mérite plus que vous me traitiez ainsi. Il y a en vous, dans vos yeux, comme une clarté de vie qui rayonne. En vous regardant, je sens mon courage, un désir de bien, et le dédain, l'oubli de toutes les pauvres satisfactions que peuvent distribuer les choses matérielles. Auprès de cela que vous me donnez et qui sera ma force, qu'est-ce que la fortune ?

— Et si demain...

Comme elle n'achevait pas sa phrase, il répéta :

— Si demain ?

— Si demain un plus grand malheur nous atteignait, si demain mon frère Maurice était condamné ?

— Je suis venu aujourd'hui à cause de cette

menace. Je voulais revendiquer l'honneur d'assister votre père demain aux assises comme un fils. Il me fallait vous rencontrer aujourd'hui.

— Ah ! murmura-t-elle interdite.

Par cette seule exclamation il comprit que toute l'indifférence qu'elle lui témoignait tombait enfin. Sur ce visage pâle dont il suivait toutes les expressions, il avait distingué subitement la sympathie, la gratitude, peut-être davantage encore. Le bonheur était là, incertain, voilé, mais présent. Et cette présence agitait son cœur.

Marguerite le fortifia dans cet espoir en lui tendant la main :

— Je vous remercie, Raymond, dit-elle, sans craindre de l'appeler par son nom comme autrefois. Je suis touchée, profondément touchée.

Ce n'étaient pas tout à fait les paroles qu'il attendait d'elle. Il la considérait dans une extase inquiète, suppliante. Comme elle se taisait, il murmura timidement :

— Pourquoi me remercier puisque je vous aime ? Il me semble que vous aimer c'est valoir mieux...

Et il ajouta comme un soupir :

— Marguerite, vous voulez bien être ma femme ?

Il lut sur le beau visage exsangue la compassion et la douleur.

— Raymond, je ne puis pas.

— Vous ne pouvez pas ? Alors... alors vous en aimez un autre.

— Oh ! mon ami.

— Oui, vous en aimez un autre. Un autre qui n'a pas été lâche comme moi, qui a su vous deviner, vous comprendre, vous mériter, tandis que moi j'ai perdu mon bonheur par ma faute. C'est juste, mais cela fait mal quand on aime.

Il eut un sanglot déchirant.

— Raymond, dit-elle tremblante. Je vous en prie, ne parlez pas ainsi.

— Je ne vous accuse pas. C'est moi le coupable. Et votre bonheur m'est plus cher que le mien.

— Raymond, écoutez-moi.

Vaincu, l'âme défaillante, il s'était laissé choir brusquement sur un fauteuil, et se cachant la tête dans les mains, il ne craignait pas, en pleurant, de donner le spectacle de sa faiblesse. D'un geste rapide, elle ôta sa coiffure, comme une garde-malade se libère de vêtements inutiles pour mieux remplir ses fonctions, et lui prenant les mains, elle les écarta d'autorité.

— Regardez-moi.

Elle commandait, non pas impérieusement à la façon de son père, mais avec une persuasive douceur. Elle ne se contraignait plus, elle ne se tenait plus sur la défensive, elle venait à lui en toute simplicité. Machinalement il subit son ascendant et lui obéit. Sitôt qu'il l'eut regardée, en effet, il cessa de se plaindre. La jeune fille était transfigurée. Le regard extatique semblait illuminer sa pâleur. Elle resplendissait d'une expression surhumaine, l'expression de ceux qui, au delà des agitations et des passions, mouvant témoignage de notre vie, ont rencontré la paix. Elle portait, vivante, la sérénité que l'on voit au visage des morts qui se sont endormis dans le Seigneur. Il n'y avait plus trace de douleur sur ses joues exsangues, dans ses yeux meurtris, mais un calme profond, inaltérable, presque effrayant.

— Marguerite, qu'avez-vous ? implora-t-il avec angoisse, comme on arrête d'un cri son compagnon qui court à l'abîme.

Elle répéta :

— Raymond, écoutez-moi. Oui, j'en aime un autre...

— Ah ! je savais bien.

— Un autre dont vous ne pouvez pas être jaloux. Je ne me marierai pas, je ne serai la femme de personne. Je suivrai une autre voie. Pourtant, je suis si imparfaite que tout à l'heure, lorsque vous me parliez, j'éprouvais de la fierté. Je suis orgueilleuse encore. C'est un défaut de chez moi. Mais nous avons été si éprouvés qu'il fallait bien se raidir un peu.

Un frêle sourire se dessina au coin de sa bouche, puis disparut, comme pour ne pas modifier la pureté des traits immobiles. Elle reprit, tandis qu'il se taisait, subjugué par la puissance mystérieuse qui se dégageait d'elle :

— Non, je n'oublierai pas que vous avez choisi l'heure de ma plus grande détresse pour venir à moi.

Comme un enfant, il se lamenta.

— Je vous aime.

— Il ne faut plus m'aimer, Raymond. Avant le vôtre, j'ai entendu un autre appel. Je vais vous révéler un secret que nul ne connaît, pas même mon père. Je n'hésite pas à vous le confier. Gardez-le-moi. Quand j'ai perdu ma mère, j'ai promis à Dieu de la remplacer à notre foyer que le malheur avait ravagé.

— N'avez-vous pas rempli votre rôle ?

— Il n'est pas terminé.

— Le mariage vous empêcherait-il de le remplir ? Nous ne quitterions pas Chambéry.

— On ne se donne pas à demi, Raymond. J'ai renoncé à mon bonheur personnel. Et du jour où j'y renonçai, je me sentis une grande force.

Il eut, pour protester, un sursaut de violence.

— Mais c'est insensé, Marguerite. Vous n'avez pas le droit de vous oublier ainsi vous-même. Après votre père, vous vivrez. Votre frère, acquitté demain, se fera sa vie sans vous. Et vous, que deviendrez-vous toute seule ? A quoi bon vous sacrifier pour de vains scrupules ?

— Mon père a été frappé au cœur. Mon frère est toujours en danger. Ne m'ôtez pas une part de mon courage en me disant que je leur suis inutile.

Raymond cessa de lutter. Une intuition qui lui venait de l'expression de Marguerite plus encore que de ses paroles l'avertissait de la défaite. Pourtant, il essaya de retarder cette défaite, et d'une voix attendrie et timide, il implora un délai.

— Et si je vous attendais, me repousseriez-vous ? Si je vous demeurais fidèle jusqu'à ce que, votre œuvre de famille accomplie, vous consentiez à venir à moi ? Je vous aime tant que plutôt que de vous perdre je saurais être patient. Ce serait cruel et doux ensemble. Ne le voulez-vous pas ?

A cette proposition héroïque et romanesque, les yeux de la jeune fille cessèrent un instant de répandre leur rayonnement. La découvrant plus humaine, il crut qu'elle se rapprochait de lui, et il

en conçut un nouvel espoir que les premiers mots
de sa réponse dissipèrent :

— Non, Raymond, je n'accepterai jamais de
fonder mon avenir sur votre douleur. C'est impossible. Vous ne m'avez pas entièrement comprise.
Je me suis donnée à Dieu. Ne cherchez pas à me
reprendre.

— Ah ! Marguerite.

— Se donner à Dieu, c'est se donner à tous ceux
qui souffrent.

— Je comprends, maintenant. Vous voulez entrer en religion.

— Je ne sais pas encore. Il y a bien des manières
de servir Dieu. Ce que je vous dis, ne le révélez à
personne. Vous pleurez. Ne pleurez pas, Raymond,
Dieu vous consolera, comme il m'a consolée.

— Non, pas moi.

Et entre deux sanglots, il l'interrogea :

— Qu'allez-vous faire ?

— Tant que mon père vivra, je l'assisterai.
Tant que Maurice aura besoin de moi, je l'aiderai.
Au lit de mort de ma mère je l'ai promis. Après, je
consacrerai mes forces aux malheureux, aux vieillards, ou bien aux enfants qui n'ont pas de parents. Peut-être tiendrai-je ici une école pour les
petits pauvres. Je ne sais pas. Je ne puis pas
savoir. Il ne faut pas vouloir trop presser l'avenir.
Il vient de lui-même. Vous voyez : maintenant
vous connaissez tous mes secrets.

— Et moi, murmura-t-il, que deviendrai-je ?
Vous pensez à soulager toutes les misères et vous
oubliez la mienne.

— Raymond.

— Je suis plus malheureux que les plus misérables. Eux, du moins, n'avaient pas entrevu leur
bonheur, et moi, je suis précipité de si haut.

— Non, ne me regrettez pas. Je n'étais pas destinée au mariage. Dieu m'en a avertie, un peu
rudement. A vous il a réservé sans doute une autre
femme qui vous rendra plus heureux.

— Vous ne ressemblez à aucune autre femme,
Marguerite. Vous n'êtes pas de celles qu'on oublie.
Vous n'êtes pas de celles qu'on remplace.

L'ombre envahissait le salon avec le soir. Et
dans cette ombre où les contours de la robe noire
se confondaient, le visage diaphane de la jeune
fille gardait comme un reste de lumière. Mais cette
lumière animait à peine la pureté des traits et leur
pâleur. Il eût semblé qu'en touchant la joue, on
eût craint de sentir, au lieu de la chaleur de la vie,
le froid de la pierre.

— Si, dit-elle, vous m'oublierez. Il le faut, et
puis je le désire.

Il la regardait avec découragement, comme un
voyageur contemple la cime qu'il n'atteindra pas.

— Vous ne pouvez rien sur mon souvenir.

— Alors, souvenez-vous de moi sans amertume,
comme d'une sœur perdue.

— Non, Marguerite, pas sans amertume. Vous
m'aviez élevé la pensée, le cœur. Maintenant, je
vais retomber.

Elle s'émut de cette parole, et ce fut d'un ton
grave, presque solennel, qu'elle répondit :

— Si vous m'avez aimée, Raymond, si vous
m'avez aimée vraiment, vous me donnerez la joie
suprême de penser que ma vocation, à vous non

plus, n'aura pas été inutile. Vous ne pouvez pas être désespéré de mon refus : il ne vous atteint pas. Il ne peut ni vous blesser ni vous amoindrir. Mon souvenir doit vous être doux et non pas nuire à votre vie. Car je vous ai aimé, mon ami. Je voyais s'approcher en paix le jour de notre mariage. Et la paix, c'est la confiance de l'âme, c'est la sécurité de l'avenir. Un orage imprévu nous a séparés. J'y ai discerné l'appel de Dieu. S'il n'a pas voulu que je vous apporte le bonheur, s'il vous a éprouvé à votre tour, laissez-moi croire que cette épreuve même vous fortifiera, vous grandira, vous ennoblira. Si, tout imparfaite que je suis, j'ai servi à votre élévation, ne me dites pas que vous retomberez. Je prierai tant pour vous.

Absorbée dans sa supplication, elle ne le vit pas qui, d'un lent mouvement, avait fléchi le genou devant elle, mais elle sentit tout à coup les lèvres du jeune homme sur sa main :

— Que faites-vous, Raymond ? Relevez-vous, je vous en prie.

Elle le regardait à ses pieds, surprise de la résolution nouvelle qu'elle lui découvrait. Il n'avait plus la figure tourmentée et douloureuse, seulement sérieuse et triste. Il avait subi, malgré lui, l'influence de fermeté et de pacification qu'exerce la foi jusque sur les autres.

— Je n'étais pas digne de vous, murmura-t-il. Mais je vous aimais tant.

— Relevez-vous, je vous en prie.

Et, relevé, il lui rendit ce dernier hommage :

— Aucun homme ne vous méritait. C'est ma consolation.

Elle détourna la tête, comme pour repousser les louanges :

— Non, mon ami, ne me parlez plus ainsi.

Le sacrifice était achevé. Ils en éprouvèrent comme une sensation physique, et ils se turent. Pendant ce silence oppressant, chargé de mélancolie, la servante entra dans la pièce qui s'obscurcissait tout à fait. Elle eut quelque peine à découvrir sa maîtresse dont la silhouette se mêlait à l'ombre.

— Mademoiselle, appela-t-elle.

— Qu'y a-t-il, Mélanie ?

— Ces messieurs sont arrivés.

— Ah ! Vous les avez introduits dans le cabinet de Monsieur ?

— Oui, mademoiselle.

— Et Monsieur n'est pas rentré encore ?

— Non, Mademoiselle.

— Priez-les d'attendre quelques instants. Monsieur va rentrer.

Ce retard inexplicable devenait inquiétant. Raymond Bercy devina que la pensée de la jeune fille s'éloignait de lui.

« Déjà » ! songea-t-il.

Tout à l'heure, du moins, quand elle écartait doucement son amour, il occupait cette pensée et ce cœur. La douleur même qu'elle lui causait, le rapprochait d'elle, lui était chère puisqu'elle émanait d'elle. Il la regarda une dernière fois, avec des yeux désespérés, comme pour mesurer toute l'étendue de sa perte et lever l'empreinte de son souvenir. Et se décidant, il murmura :

— Adieu, Marguerite.

Elle lui tendit la main.

— Adieu, mon ami. Allez en paix. Dans mes prières de chaque jour, je joindrai votre nom à ceux de ma famille. Vous le voulez bien ?

— Merci. J'avais conçu un grand espoir, et je l'ai moi-même brisé.

De sa voix grave, elle répondit :

— Dieu l'a voulu, et non pas nous. Que Dieu vous garde.

Il s'inclina et il partit. Demeurée seule, elle se cacha le front dans les mains, puis se redressa. Elle se rendit dans le cabinet de son père où elle invita MM. Hamel et Bastard à patienter quelques minutes encore ; puis, comme l'anxiété l'étreignait de plus en plus, elle se disposa à sortir quand elle entendit la clef qui grinçait dans la serrure. Elle se précipita vers la porte :

— Père, c'est vous, enfin !

M. Roquevillard, qui avait marché vite, s'essuya le front en sueur malgré le froid.

— Marguerite. Ces messieurs sont venus ?

— Ils vous attendent.

— Bien, j'y vais.

Dans le corridor éclairé, ils se trouvaient face à face. Après s'être quittés dans la débilité morale et le découragement, ils s'étonnèrent de rencontrer sur le visage l'un de l'autre une sorte de sérénité victorieuse de la douleur et de la crainte, l'illumination spirituelle que donne la confiance. L'un avait entendu l'appel du passé, venu du fond permanent des générations, et l'autre la voix de Dieu.

VI

LE DÉFENSEUR

Lorsque M. Roquevillard entra en coup de vent dans son cabinet de travail, ses deux confrères qui discutaient se levèrent immédiatement et s'avancèrent à sa rencontre. Ils ne purent dissimuler leur surprise en découvrant, au lieu d'un homme abattu par le désespoir à la suite du décès de son fils aîné, le Roquevillard d'autrefois, celui qu'on redoutait à la barre, que l'on appelait dans les délibérations difficiles et orageuses pour la netteté de son jugement et l'autorité de ses résolutions, et dont on supportait malaisément parfois le caractère dominateur comme le regard perçant.

— Je vous ai fait attendre, leur dit-il avec cette aisance qui dispense de s'excuser.

En sa présence, M. Hamel, dont la couronne de cheveux blancs, les traits fins, la distinction un peu guindée composaient un ensemble vénérable, et M. Bastard qui, la barbe étalée sur la poitrine et la tête inclinée en arrière, s'imposait en tous lieux au premier rang, semblèrent néanmoins reconnaître un chef, l'un de bonne volonté, l'autre malgré lui. Leurs indices de supériorité s'effaçaient devant d'autres signes incontestables.

— Mon ami, murmura le vieillard la main tendue,

— Mon cher confrère, formula son collègue.

Et ils lui adressèrent leurs condoléances, l'un cordialement et avec émotion, l'autre en termes banals.

— Oui, répondit leur hôte, en les arrêtant d'un geste. Il ne me reste plus qu'un fils. Celui-là je le sauverai, je veux le sauver. Et voici ce que j'ai décidé.

Ce dernier conseil devait précisément être tenu entre les trois avocats afin d'arrêter d'une façon définitive le plan de la défense. Et voici que l'avis d'un seul prévalait à l'avance, sans consultation.

— Ah ! s'exclama le bâtonnier que subjuguaient tant de confiance et de fermeté.

— Décidé ? répéta d'un air de doute M. Bastard, partagé entre le respect du deuil et le sentiment de son importance.

Tranquillement, de sa voix rajeunie, M. Roquevillard dévoila sans retard en deux mots sa pensée :

— Vous m'assisterez tous les deux. C'est moi qui plaiderai.

— Vous !

— Vous !

L'étonnement et l'irritation se traduisaient dans ces deux exclamations. M. Hamel fixa sur son vieux compagnon d'armes le regard de ses yeux décolorés où la flamme de vie ne jetait plus qu'une tremblante lueur si pure encore, tandis que l'avocat d'assises, supportant malaisément un congé qui le privait d'une affaire sensationnelle et d'une plaidoirie retentissante, oubliait les circonstances de la cause et les malheurs de la race provisoirement vaincue pour ne plus songer qu'au succès personnel qui lui était brutalement arraché.

M. Roquevillard parlait en maître courtois, mais qui sait commander.

— Oui, moi. Je réclamerai mon fils si énergiquement qu'on me le rendra. On ne refuse pas un fils à son père.

Ayant ainsi dicté, comme des ordres, ses dispositions de combat, il s'efforça aussitôt de ramener ses alliés par un peu de diplomatie, car il savait plier sa manière impérieuse à l'art de conduire les hommes. Comme il était certain de l'assistance du bâtonnier, il tourna spécialement ses efforts contre M. Bastard qui lui échappait :

— Vous serez là tous deux. Je compte sur vous. Si je demande, Bastard, à vous remplacer, ce n'est point que je com_ _re mon talent au vôtre. Mais il est des choses que, par un douloureux privilège, seul je puis expliquer aux jurés.

— Quelles choses ?

— C'est mon secret. Vous l'apprendrez demain. Je crois pouvoir, sans prononcer le nom de Mme Frasne, les convaincre de l'innocence de mon fils.

— Par la suppression du préjudice ?

— Non, directement.

— Je ne comprends pas.

— Vous entendrez. Cependant, si vous surprenez dans ma voix ou ma parole une défaillance, si ma plaidoirie vous donne à craindre un échec, je me fie entièrement à votre grande habitude des assises, à votre merveilleuse présence d'esprit. Ces visages de juges sont pour vous un livre ouvert. Vous connaissez le dossier aussi bien, mieux que moi. Vous étiez prêt. Vous me suppléerez. Ainsi appuyé, je me sentirai fort. Vous le voulez bien ?

L'avocat éconduit se lissait la barbe avec soin, et dissimulait son dépit sous un air d'indifférence :

— A quoi bon, mon cher confrère ? Mon concours vous est inutile. Vous n'avez besoin de personne. Vous ne redoutez point d'assumer les plus hautes responsabilités, et les plus difficiles. Permettez-moi de considérer ma mission comme terminée.

Les deux interlocuteurs, pendant ce colloque, étaient demeurés debout. M. Hamel, assis au coin de la cheminée, les suivait de ses yeux un peu troubles, sans prendre part à la discussion. M. Roquevillard s'approcha de son confrère plus jeune, et lui posa la main sur l'épaule d'un geste affectueux :

— Je sais, Bastard, que je réclame de vous un grand service. En revendiquant l'honneur de défendre moi-même mon enfant, comprenez que c'est mon nom que je compte défendre. Je ne méconnais point les chances que représentent votre mérite, votre compétence, votre rare éloquence. Mais à ma place, vous agiriez comme moi. Donnez-moi ce témoignage d'amitié, de désintéressement, et aussi d'estime. Par là, vous me prouverez le cas que vous faites de ma parole. Je vous en prie.

M. Bastard continuait de promener ses doigts nerveux le long des poils de sa belle barbe. Il pesait le pour et le contre, se livrait tour à tour aux traditions confraternelles de son ordre et à sa vanité blessée qui s'accommodait mal du second rang. Il avait presque imposé son concours, ses services. Il escomptait, sinon le salut de son client,

du moins son triomphe personnel devant une salle
bondée, et composée sans doute du meilleur monde,
principalement de dames avides de l'entendre. Au
lieu de le contempler dans sa gloire, debout et
dominateur, ce public choisi le verrait assis comme
un secrétaire au côté de M. Roquevillard, rival
dangereux qui lui avait infligé au barreau tant de
dures répliques. Lui convenait-il d'accepter une
posture aussi humiliante ? D'autre part, sa présence ne serait pas inutile à l'audience. Pris d'un
beau zèle subit, le père de l'accusé se faisait probablement illusion sur l'argumentation soudaine
qui le fascinait, dont il n'osait point révéler le mystère et qu'il avait conçue sous l'inspiration d'un
chagrin par lequel sa force morale et sa vigueur
intellectuelle devaient être entamées. Cette ardeur
factice qui l'animait pouvait tomber d'un moment
à l'autre, laisser place tout à coup, sans transition,
à la dépression la plus lamentable. Comment
attendre, comment espérer l'énergique, le violent
effort qu'exigerait une telle plaidoirie, après une
préparation aussi écourtée, d'un homme écrasé par
le sort, ruiné, privé tragiquement la veille de son
fils aîné, et chargé de protéger lui-même son dernier enfant contre la menace d'une condamnation infamante ? Ce n'était pas vraisemblable. Il
fallait interpréter cette décision nouvelle comme
l'excitation mystique de la douleur, et se tenir prêt
à occuper la barre jusqu'au dernier moment. La
sagesse le conseillait. Le soin de la défense qui,
chez un avocat, doit primer tout autre souci, et
spécialement toute pensée personnelle, le commandait sans conteste.

Mais l'étrange sécurité que montrait M. Roquevillard en face du péril arrêta ces velléités généreuses.

— Non, expliqua M. Bastard, je ne puis vous
donner satisfaction. Je le regrette. Ou je prendrai
et garderai la responsabilité des débats, ou je me
retirerai tout à fait.

— Il s'agit de mon fils. Il est juste que je n'abandonne point sa défense.

M. Hamel quitta son fauteuil pour intervenir
opportunément :

— En ma qualité de bâtonnier, mon cher confrère, je vous demande instamment de nous assister.
Je comprends vos hésitations. Dans toute autre circonstance, je comprendrais votre refus. M. Roquevillard peut avoir des raisons particulières pour
désirer prendre la parole en faveur de son fils, bien
que l'on confie généralement à un autre le soin de
défendre les siens. Fatigué par le poids du malheur,
il risque de présumer trop de sa volonté. Il faut que
vous soyez là. J'insiste dans mes conclusions.

Du moment que l'on invoquait le devoir au lieu
de la flatterie, et que l'on employait l'autorité au
lieu de la persuasion, l'avocat d'assises rejeta définitivement les scrupules, et, reprenant tout son
aplomb, il écarta presque durement le vieillard :

— Non, non, impossible. J'offrais mon concours
le plus complet. On le limite. On change sans me
consulter le plan de la défense. On me cache un
argument qui doit être décisif. Dans ces conditions, je n'ai qu'à me retirer, et je me retire.

Sa figure durcie n'exprimait plus que l'orgueil
blessé. Il se tourna vers M. Roquevillard pour
ajouter avec une condescendance laborieuse.

— Désirez-vous mes notes de plaidoirie ? Elles vous épargneront quelque travail. Je les tiens à votre disposition.

— Réfléchissez, mon confrère, mon ami. Ne nous quittez pas dans la bataille.

— Ma résolution est prise.

— Absolument ?

— Absolument.

M. Roquevillard, dans cette dernière tentative, conservait cet air de hauteur et de tranquillité qui tout de suite avait déconcerté ses visiteurs. Moins rassuré que lui sur les conséquences de cette défection, le bâtonnier, malgré son antipathie naturelle pour M. Bastard, chercha à le retenir encore :

— Je vous supplie de ne pas nous priver de votre secours.

— Je suis désolé, croyez-le.

— Alors, dit le père de l'accusé, prenant son parti sans aucune émotion, je vous réclamerai le dossier, spécialement le proces-verbal de constat, l'analyse des dépositions, l'arrêt de contumace.

Cette désinvolture acheva d'offenser l'avocat qui n'entendait point céder aux sollicitations, mais, par une contradiction bien humaine, ne se résignait pas non plus à ce qu'on se passât de lui. Il prit congé de ses deux confrères avec une irritation mal déguisée. Hors du cabinet de travail, sur le pas de la porte d'entrée, son hôte s'empara presque de force de sa main et la lui serra en le remerciant chaleureusement d'avoir consenti à s'effacer. Mais dans cette démonstration amicale, M. Bastard ne vit qu'un suprême affront. Et il courut en ville ruiner dans l'esprit public la cause

des Roquevillard en annonçant l'aberration du
père et la condamnation probable du fils.

Après ce départ, M. Hamel ne put dissimuler sa
tristesse, ses doutes, l'inquiétude qui le tourmentait et qu'alourdissait l'âge. Eloigner volontairement le maître habituel des assises, n'était-ce pas
bien imprudent, et ne risquait-on pas de payer
cher cette imprudence ? Pourquoi cette mesure de
la dernière heure qui jetait dans le camp de la
défense le trouble et la désorganisation ? Il formu-
lait ses critiques d'un ton courtois mais ferme,
et, les estimant superflues, il les suspendit pour
ajouter d'un ton mélancolique :

— Mon ami, vous êtes arrivé, tout à l'heure, le
visage illuminé d'une inspiration intérieure. J'ai
compris, en vous regardant, que vous n'écouteriez
personne. D'où veniez-vous donc ?

— De la Vigie, répondit M. Roquevillard qui
avait supporté respectueusement les reproches.
Les morts m'ont appelé. Ils ne veulent pas d'un char-
latan pour opposer leurs mérites à l'erreur de leur
descendant.

— Les morts ?

— Oui, mes morts, ceux qui ont fait ma race et
qui l'ont maintenue. Ils seront demain les garants
de notre honneur. Du premier de mon nom jusqu'à
mon fils aîné, combien se sont sacrifiés à la chose
commune, et vous voudriez que ces sacrifices ne
fussent pas comptés ?

M. Hamel réfléchit, puis se leva :

— Je crois à la réversibilité et je comprends.
Mais les jurés, comprendront-ils ?

— Il faudra bien, répliqua son hôte avec une

telle assurance que le vieillard en fut ébranlé.

— Il se passe en vous quelque chose, dit-il, qui agit sur ceux qui vous parlent et qui les pénètre. Oui, mieux qu'aucun autre avocat vous défendrez votre fils. Vous avez la force et l'autorité. J'aurai l'honneur de vous assister demain. Adieu, je vous laisse travailler.

Il drapa ses maigres épaules dans son pardessus râpé, et d'un air soudainement hâtif gagna la porte.

— Marguerite ! appela M. Roquevillard après avoir accompagné le bâtonnier.

La jeune fille qui, dans une pièce voisine, attendait le moment où son père lui serait rendu, parut aussitôt :

— Me voici.

— Viens, je veux te parler.

Il l'emmena dans son cabinet, et rapidement lui demanda :

— Tu as vu Maurice à la prison ?

— Oui, père. Nous avons pleuré ensemble.

— Pleuré ? Oui, j'ai le cœur arraché. Pourtant je ne pleure pas. Demain soir, je serai libre de pleurer tout mon saoul. Jusque-là, je ne verserai pas une larme.

Marguerite, un peu effrayée de l'exaltation qui éclairait et rajeunissait le cher visage sur lequel elle avait suivi tant de fois la progression de leurs désastres de famille, en profita néanmoins sans retard pour achever son œuvre de réconciliation :

— Père, Maurice réclame sa place dans votre cœur.

— Il ne l'a jamais perdue.

— Je le savais bien. Lui pardonnez-vous ?

— Il y a longtemps que je lui ai pardonné.

— Ah !

— Le soir de son retour, petite. As-tu douté de ton père ?

— Oh ! non. Pourquoi ne pas le lui dire ?

— Il ne me l'avait pas demandé.

— Il vous le demande, et il vous prie de diriger sa défense comme vous l'entendrez, sans restriction. Il sait que vous aurez soin de son honneur.

— Sans restriction ? Il est trop tard.

— Pourquoi trop tard ?

— Parce que j'ai licencié M. Bastard, son avocat.

— Qui le défendra ?

— Moi.

— Ah ! dit Marguerite en se jetant dans ses bras. Je ne l'espérais plus. Je l'avais toujours désiré.

Et M. Roquevillard, déjà préoccupé de son devoir nouveau et pressant, serra sa fille sur sa poitrine :

— Tu as toujours eu foi en moi, petite. Va me chercher les livres de famille, tous, même les anciens.

Pendant la courte absence de sa fille, il reçut le dossier de l'affaire que renvoyait M. Bastard selon sa promesse, l'ouvrit, le feuilleta et regarda l'heure :

— Six heures bientôt. Aurai-je le temps ?

Et il considéra avec tristesse le tas considérable que formaient les livres de raison apportés en plusieurs voyages par Marguerite.

— Les voici tous, dit la jeune fille. Il y en a beaucoup, et de bien vieux.

Cinq cents ans de travail et d'honneur tenaient dans ces cahiers. Elle présenta à son père un dernier carnet de dimensions moins volumineuses :

— Là, expliqua-t-elle en rougissant un peu, j'ai résumé notre histoire, ses principaux traits, spécialement les services rendus au pays. C'est une sorte d'abrégé moins intime.

— Tu avais deviné que nous en aurions besoin un jour ?

— Non, père. J'ai écrit cela l'hiver dernier, pour protester contre la défaveur qui nous atteignait. J'en lisais des morceaux à maman qui, de son lit, m'approuvait.

— Et tu préparais la défense de Maurice.

— Avec cela ?

— Oui. Maintenant laisse-moi travailler.

Comme elle s'éloignait, il la rappela :

— Marguerite, j'ai encore quelque chose à te dire.

Vite, elle revint à lui. Avant de parler, il l'enveloppa toute de ce regard paternel qui donne au lieu de prendre et protège au lieu de convoiter, et il remarqua, en même temps que leur pâleur, le calme des traits, la douceur sereine de leur expression :

— J'ai croisé Raymond Bercy, petite fille, comme je rentrais. Il était en bas, sur le seuil de la porte cochère, immobile, absorbé, ému. Il m'a salué, et a fait un pas vers moi, comme pour m'aborder, mais trop tard : j'avais déjà passé.

Elle ne parut nullement impressionnée et répondit :

— Il sort d'ici, père.

— Ah ! que désirait-il ?

— Vous assister demain à l'audience.

— Quelle idée ! et à quel titre ?

— Comme un fils.

— Comme un fils ? Il t'a donc demandé ta main ?

— Oui.

— Et tu ne me le disais pas. Dieu a pitié de nous, Marguerite. Notre excès de malheur l'a touché. Raymond se conduit noblement. Il n'a pas attendu pour nous revenir que nous soyons publiquement lavés de toute accusation. Et toi, qu'as-tu répondu ?

— J'ai refusé.

M. Roquevillard fit un geste d'étonnement, et avec tendresse il attira sa fille plus près de lui en regardant jusqu'au fond des grands yeux limpides :

— Refusé, pourquoi ? Je devine : tu as pensé à moi. Tu te sacrifies à ton père. Ton père ne l'accepte pas, ma chérie. Je te l'ai dit bien souvent : que les parents subordonnent leur vie à celle de leurs enfants, c'est nature, mais non pas le contraire.

— Père, murmura-t-elle, je vous aime bien. Vous le savez. Pourtant vous vous trompez, je vous le jure.

— Ce n'est pas pour moi ?

— Non, père.

A la flamme pure qui des yeux rayonnait surtout le visage sans couleur, il comprit l'âme de sa fille. Déjà n'avait-il pas dû comprendre une autre

fois ? Dieu lui prenait ses enfants l'un après l'autre.
Quelle fièvre de renoncement et d'immolation les
agitait, les brûlait ? Ne fallait-il pas voir, dans ces
offrandes successives, le rachat du coupable ? Il
se souvint d'un matin d'été, à la lumière insul-
tante, où, du quai de Marseille, il avait vu partir
le bateau qui emmenait en Chine Félicie. Et il
pressa plus fort Marguerite sur son cœur tremblant.

— Toi aussi, murmura-t-il simplement.

Elle lui noua les bras autour du cou et lui confia
tout bas dans un baiser :

— Pas maintenant, père.

— Après moi ?

— Oui.

Il la garda un instant appuyée tout contre lui,
comme une petite fille, comme aux jours anciens
où il la tenait avec précaution. Il réfléchissait en la
sentant si bien à lui encore, et il hésitait à accepter
un délai qu'inspirait la piété filiale. Mais en face de
lui, la glace de son cabinet lui renvoyait l'image
du groupe qu'il formait avec Marguerite. D'un
coup, il constata les changements qui s'étaient
opérés en lui dans l'espace d'une année.

« Demain, songea-t-il, j'aurai sauvé Maurice, ma
tâche sera terminée. Après, je ne ferai pas de
vieux os. »

Et se penchant sur le cher visage, il y posa ses
lèvres en signe d'acceptation. Puis, revenant au
but principal de son esprit, il chassa l'attendrisse-
ment et prit ses dispositions de combat :

— Fais servir le dîner à huit heures. J'ai presque
deux heures de travail devant moi, le temps de me

remémorer dans ses détails ce dossier que je connais. A neuf heures je me coucherai pour me relever à trois heures du matin. De trois heures à
neuf heures, avant l'ouverture des assises, je pré-
parerai ma plaidoirie.

— Bien, père. Il est arrivé de Lyon une lettre
de Germaine. Son cœur est avec nous.

— Tu me la liras en dînant.

— Charles sera ici demain par le train d'une
heure. Il ne peut arriver plus tôt.

— Je l'attendais.

— Je vous laisse, père.

La porte refermée sur Marguerite, il s'empara
vivement sur la table d'une photographie d'Hubert,
et considéra le portrait de son fils aîné.

« Pardonne-moi, lui disait-il intérieurement, de
penser exclusivement à ton frère. Ne crois pas que
je t'oublie. Tu vois, je ne suis pas libre. Demain
je t'appellerai, je te parlerai, je te pleurerai. Demain,
je t'appartiendrai. Ce soir j'appartiens à toute
notre race. »

Doucement, il replaça l'image devant lui. Et
pliant sa douleur à la nécessité immédiate, il se
mit au travail.

VII

JEANNE SASSENAY

Pour obéir à son père, Marguerite Roquevillard avait déposé, à titre de renseignement, au sujet de l'argent destiné à son trousseau qu'elle avait remis à son frère Maurice le soir du départ pour l'Italie, et de celui qu'elle avait envoyé à Orta, puis elle était rentrée chez elle en toute hâte, comme si l'éclat donné à sa générosité la dût remplir de honte. Dans une faible mesure, elle avait pu contribuer à la défense de l'accusé, et se reprochait d'avoir montré tant de faiblesse et répondu si timidement à l'interrogatoire du président des assises. Son courage était intérieur, et s'accommodait mal des manifestations publiques. Elle déplorait sa modestie qui lui apparaissait à elle-même comme une lâcheté, et craignait d'avoir nui, par son hésitation, à la franchise de son témoignage.

Que s'était-il passé, avant son introduction, dans la salle d'audience, et après sa fuite ? Elle n'en savait rien, mais rapportait de son bref contact avec la justice une frayeur qu'elle ne parvenait pas à vaincre. Enfermée avec les autres témoins, elle avait entendu appeler ceux-ci un à un par la voix d'un huissier et les avait vus disparaître, son

grand-oncle Etienne et sa tante Thérèse en dernier
lieu. Restée presque seule, on l'avait conduite à la
barre, son tour venu. Tremblante comme une figu-
rante qu'on pousse sur la scène, elle avait aperçu
en face d'elle, à son entrée, en bas et aux tribunes,
à l'orchestre et au balcon, une multitude de regards
qui la dévisageaient, qui la blessaient et la fouil-
laient. Tout Chambéry était là qui épiait sans miséricorde la peur d'une jeune fille, qui épierait
tout à l'heure avidement l'agonie d'une race. Elle
s'était trouvée enfin devant trois magistrats en
robe rouge, ayant à leur droite les bancs des jurés.
Elle avait cru défaillir en déclinant son nom, quand
la voix de son père avait retenti à ses oreilles. Cette
belle voix chaude, qu'elle connaissait bien, l'avait
fortifiée instantanément comme un cordial. L'avocat était debout devant Maurice qu'il protégeait,
et si calme qu'elle en avait été surprise et tran-
quillisée par contagion. Il dictait en une formule
claire la question à poser. Après avoir répondu à
peine distinctement, elle s'était sauvée, comme un
pauvre gibier qui gagne les taillis.

« Père ne sera pas content de moi, se repro-
chait-elle. Quel empire il a sur lui-même ! Comme
il se possède et comme on le redoute ! Il s'est levé
deux fois, et j'ai senti à chaque fois un silence plus
profond dans la salle. Ses yeux jetaient des flammes.
Il paraissait jeune. Il est notre force. »

A midi et demi, M. Roquevillard vint déjeuner.

— Servez-nous vite, Mélanie, dit-il dès la porte.
Je suis pressé.

Il avait son air de bataille, un pli au front, le
regard droit, impossible à éviter, difficile à sou-

9

tenir, et les muscles du visage tendus. Les dernières veilles, la douleur, l'inquiétude avaient vieilli les traits. Une volonté impérieuse suspendait provisoirement l'effort combiné de l'âge, de la fatigue et du chagrin.

— Eh bien, père ? interrogea Marguerite suppliante.

Il la rassura en deux mots :

— L'audience rouvre à deux heures.

— Ce n'est pas fini ?

— Non, non.

— Que s'est-il passé ?

— Tu n'as donc rien vu, petite fille ?

— Oh ! non, père, je suis partie. Dites-moi tout. Voyez : je tremble encore.

— Il ne faut pas trembler, Marguerite. Aie confiance.

A table, tout en mangeant rapidement et sans appétit, il résuma les débats pour elle :

— Tu n'as pas compris grand'chose, sans doute, aux formalités de l'installation des jurés, des prestations de serment, des récusations, et de l'appel des témoins ?

— J'étais près de vous dans la salle, père. A mon nom, je me suis levée et l'on m'a emmenée dans une chambre où j'ai retrouvé oncle Etienne et tante Thérèse.

— La salle des témoins. Puis les dépositions ont commencé après la lecture de l'acte d'accusation, celle du procès-verbal, dressé par le commissaire de police, constatant le vol de cent mille francs, et l'interrogatoire de Maurice qui a protesté de son innocence tout en refusant d'accuser personne,

malgré l'insistance du président. Des témoins à
charge, le premier clerc de l'étude Frasne s'est
montré le plus acharné contre lui. C'est ce nommé
Philippeaux qui doit nous haïr, j'ignore pourquoi,
car il a déposé avec la rage de dénoncer, de com-
promettre, de présenter comme des preuves acca-
blantes les présomptions qu'il inventait ou qu'il
interprétait méchamment.

— Quelles présomptions ?

— La connaissance du dépôt d'argent dans le
coffre-fort, la découverte possible mais non pas
démontrée du secret de la serrure sur un agenda,
la présence tardive à l'étude avec les clefs le soir
du vol, le manque de ressources personnelles, le
départ pour l'étranger, l'impossibilité d'imaginer
un autre coupable, etc. Les autres clercs ont
réédité son témoignage comme une leçon apprise,
mais avec moins de détails et moins de certitude.
Enfin, l'ancienne femme de chambre de Mme Frasne
qu'on a dû circonvenir, a prétendu que, pendant
l'absence du maître, jamais sa maîtresse n'avait
pénétré dans le bureau. Qu'est-ce que ça prouve ?
Mme Frasne aurait-elle convoqué son personnel
pour assister au détournement des fonds ?... Mais
je ne dois pas l'accuser, moi non plus.

— Pourtant Maurice ne s'y oppose plus.

— Je ne le ferai pas. Nous avons payé sa rançon : qu'elle la garde et ne reparaisse jamais...
J'avais cité avec toi, comme témoins à décharge,
ton grand-oncle Etienne et ma belle-sœur Thérèse,
afin d'établir que Maurice n'était point parti sans
ressources, l'employé de la Société de crédit qui
t'a délivré, à la fin d'octobre dernier, le chèque de

huit mille francs sur la Banque Internationale de
Milan au nom de ton frère, et enfin Me Doudan, le
notaire.

— Pourquoi ce dernier ?

— Pour qu'il déclarât la réalité du versement de
cent mille francs que j'ai opéré par ses soins entre
les mains de M. Frasne, et aussi le nom du véritable acquéreur de la Vigie. Le président, après
avoir conféré avec M. Latache, président de la
Chambre des notaires, l'a relevé du secret professionnel, et il a bien fallu qu'il révélât aux jurés la
fructueuse spéculation de M. Frasne.

— C'est donc M. Frasne, demanda la jeune fille,
qui a acheté la Vigie, pour lui, pour s'y installer à
notre place ?

— Ne le savais-tu pas ?

— Je ne pouvais pas le croire. Il y a tant de
choses que je ne comprends pas. L'an dernier, aux
vendanges, il avait déjà l'air de faire une enquête :
il furetait partout.

— Oui, petite, c'est lui qui remplace les Roquevillard et continue la tradition. Le tout, gratuitement.

Reprenant son récit après cet accès d'amertume,
il ajouta :

— Son avocat a pris la parole à onze heures.

— Quel avocat, père ?

— Un M. Porterieux, de Lyon. Il n'a trouvé
personne au barreau de Chambéry.

— A cause de vous ?

— Sans doute.

— Et qu'a-t-il osé dire ?

— C'est un homme habile, insinuant, d'une violence froide et calculée. Il a commencé par tracer

de Maurice un portrait tendancieux : jeune homme d'aujourd'hui que nul frein ne retient plus, très imbu de ses droits individuels, avide de développer sa personnalité, de conquérir son bonheur, fût-ce en piétinant celui des autres, refusant de s'encadrer dans une société organisée, enfin un de ces intellectuels de l'anarchie capables de passer du domaine des idées dans celui des faits. « Interrogez, a-t-il ajouté, ses camarades, ses amis. Ils ne pourront nier que dans ses conversations il ne cessait de dénigrer, de démolir l'ordre des choses établies, et qu'il réservait son admiration aux théories pernicieuses d'un philosophe allemand pour qui le type supérieur de l'humanité, le surhomme, édifie sa fortune sur la ruine et la douleur des petits, des humbles, des faibles. Et ce n'est, dans Chambéry, un secret pour personne, qu'il ne parvenait pas à s'entendre avec son père dont il supportait l'autorité malaisément. »

— Il a dit cela ? murmura Marguerite révoltée.

— Oui, je te donne le ton. De moi-même, il a tiré un argument. De notre famille il en a tiré un autre, l'accusé ne pouvant invoquer l'excuse d'une éducation mauvaise, du manque d'instruction, des fâcheux exemples ou le bénéfice d'une enfance malheureuse qui risque d'aigrir pour toujours le caractère. Je passe sur la séduction préméditée et intéressée de Mme Frasne.

— Intéressée ?

— Oui, dans son nihilisme moral, Maurice convoitait à la fois la femme et l'argent, sans scrupules. Ayant ainsi rendu ou cru rendre vraisemblable l'abus de confiance, M Porterieux a abordé l'accusation et ce qu'il n'a pas craint d'appeler les preuves matérielles. Mme Frasne consent à partir. Le mari est absent, le jour est propice, l'heure est unique. Son amant, dépourvu de fortune personnelle, cherche, doit chercher le prix du voyage. Il connaît l'existence du dépôt qui provient de la vente de Belvade, il a découvert sur un agenda le chiffre du secret, il se fait remettre les clés, il s'arrange pour demeurer seul à l'étude. Il prend et il s'enfuit à l'étranger avec sa maîtresse. Non seulement il est coupable, mais seul il peut l'être.

— Et Mme Frasne ?

— Mme Frasne ? Qu'il l'accuse, qu'il ose donc l'accuser ! Il s'est tu à l'instruction, il se tait à l'audience. « Je le mets au défi de l'incriminer, a conclu l'avocat, peut-être mis imprudemment au courant par Bastard du généreux entêtement de Maurice, et ce silence, qui est un aveu, le condamne. »

De la salle à manger ils avaient passé dans le cabinet de travail. Marguerite, dans ce résumé virulent et pourtant impartial de la plaidoirie adverse, entendait gronder la fureur et le désespoir paternels et en était bouleversée.

— Père, murmura-t-elle, ne sommes-nous pas perdus ? Espérez-vous encore ?

— Si j'espère !

— Quand sera-ce fini ?

— À deux heures, dans quarante minutes, Me Porterieux reprendra sa plaidoirie.

— Ne nous a-t-il pas assez fait de mal ?

— Il paraît que non. Il lui reste un dernier argument à développer.

— Lequel ?

— Le nouvel aveu qui, d'après lui, résulte de la restitution, par moi, des cent mille francs. Avant trois heures, je suppose, mon tour viendra. A quatre heures ou quatre heures et demie j'aurai terminé.

Et il ajouta, en affectant la tranquillité :

— Le train de Charles arrive à une heure. **Ton** beau-frère devrait être là.

Peu après, Charles Marcellaz sonna en effet.

— Quelles nouvelles, mon père ? demanda-t-il en entrant. Germaine pleurait ce matin en me disant adieu, et les trois petits l'imitaient. Votre télégramme d'hier nous a causé tant de chagrin. Pauvre Hubert !

— Je vous attendais, Charles. Votre place est à côté de moi. Marguerite vous renseignera en vous faisant servir à déjeuner. Laissez-moi quelques minutes. Soyez prêt à deux heures moins cinq.

— Je serai prêt. Ah ! je vous préviens que j'ai pris mes mesures pour vous restituer la moitié de la dot de Germaine. Plus tard, ce sera le reste.

L'avoué annonçait cela d'un ton de mauvaise humeur, comme un homme peu accoutumé à la bienfaisance et qui s'en cache. Il était conquis, lui aussi, à la cause commune ; mais comme sa raison suivait en protestant, il n'affichait pas sa défaite.

— Je n'accepte pas, mon ami, répondit M. Roquevillard.

Et plus ému de ce concours que de tous les efforts adverses qu'il s'apprêtait à repousser, il ajouta :

— Embrassez-moi.

Ainsi le lien de famille se resserrait dans l'infortune.

L'avocat s'isola un quart d'heure pour ramasser en faisceau les arguments de sa plaidoirie. Le récit qu'il avait fait à sa fille, sous l'empire de la surexcitation nerveuse, avait été pour lui un dérivatif de la colère et de la honte qui s'accumulaient en lui depuis le matin, à écouter les infamantes accusations portées contre son fils. Ses nerfs se détendirent, le bouillonnement de son cœur se calma comme la mer quand le vent tombe. Lorsque ce fut le moment de regagner le Palais de Justice, Marguerite lui découvrit un visage moins orageux et dans le regard cette sérénité que la veille il avait rapportée de sa visite à la Vigie.

— A ce soir, père, dit-elle. Que Dieu vous aide !

Sur le pas de la porte, il répondit rapidement :

— A ce soir, petite... avec Maurice...

La jeune fille venait de s'enfermer dans sa chambre pour y prier, quand Jeanne Sassenay demanda à la voir :

— Mlle Marguerite, je vous prie.

Plus rigide et circonspecte depuis l'insistance de Raymond Bercy, la bonne écarta d'un ton péremptoire l'importune question.

— Mademoiselle est fatiguée. Elle ne reçoit personne.

— Tant pis, j'entre quand même.

Et dépassant la servante effarée avant que celle-ci n'eût le temps de lui barrer le chemin, Jeanne traversa le corridor en courant, chercha la chambre de son amie qu'elle connaissait, frappa rapidement, entra et se jeta dans les bras de Marguerite.

— C'est moi. Ne me renvoyez pas. Ce n'est pas
la faute de Mélanie.

— Vous. Jeanne ? Pourquoi venir ?

— Parce que vous êtes seule et que vous avez
de l'ennui. Il y a un tas de dames qui sont allées à
l'audience comme à une partie de plaisir. Alors,
moi, j'ai pensé que ma place était ici avec vous.
Je vous aime bien.

Marguerite caressa la joue de son amie :

— Vous êtes bonne.

— Oh ! non. Seulement j'ai tant d'amitié pour
vous... Toute petite, je vous admirais déjà. Et je
voudrais tant vous ressembler.

Puis, d'un ton mystérieux, elle changea brusquement de sujet :

— Figurez-vous qu'elles ont fait toilette pour se
rendre au Palais de justice. Parfaitement, comme
à une matinée.

— Qui ?

— Ces dames.

— Oui, dit Mlle Roquevillard amèrement. Il
s'agit de notre honneur. C'est un spectacle.

Jeanne Sassenay lui prit la main :

— Moi, je ne suis pas inquiète.

Et d'un ton doctoral elle parut trancher le
débat :

— En somme, que lui reproche-t-on de grave à
votre frère ? D'avoir enlevé une femme ? Cela n'est
rien.

Malgré sa tristesse, Marguerite ne put réprimer
un sourire, ce qui encouragea sa compagne.

— Vous comprenez bien qu'une femme ne s'enlève pas comme une tache d'un habit. Moi, celui

qui voudrait m'enlever, je le grifferais, je le mordrais, je lui ferais un mal effroyable... A moins que je ne parte avec lui.

— Taisez-vous, Jeanne.

— Ah ! peut-on savoir ? Quand on aime, on est capable de tout. Aimer c'est quelque chose de terrible.

— Qu'en savez-vous ?

— Pourquoi ne le saurais-je pas ? Je ne suis plus une petite fille.

Mlle Sassenay donna un coup à son chapeau qui, sur la chevelure blonde, perdait l'équilibre, vérifia les frisons qui descendaient sur le front et prit un air détaché pour dissimuler sa rougeur tandis qu'elle demandait :

— Cette méchante femme, il ne l'aime plus ?

— Maurice ? Je ne crois pas.

— Vous en êtes sûre ?

— Il n'en parle jamais.

— On ne l'a plus revue ?

— Non.

— Tant mieux. Je la déteste. D'abord elle n'était pas si belle que ça. De beaux yeux, oui ; mais elle s'en servait un peu trop. Et des sourires, et des œillades, et des mines, et des balancements de tête, et des flexions de cou, et des ondulations d'épaules, et des tortillements de hanches.

Levée en hâte de sa chaise, elle contrefaisait Mme Frasne à travers la chambre en caricaturant ses gestes et ce perpétuel mouvement qui trahissait l'agitation intérieure.

— Jeanne, je vous en prie, se récria Marguerite.

— Non, non, je vous assure, continua la jeune fille tout à fait lancée, les brunes ne valent pas les blondes, ni pour le teint, ni pour la grâce. Vous avec vos cheveux châtains, vous réunissez la beauté de toutes, mais vous n'en faites rien... Et puis, je la déteste encore...

— Mais qui ?

— Mme Frasne, donc, parce que c'est une femme fatale, qui porte le guignon. Votre frère en a été bien puni. Elle l'a rendu malheureux : elle ne l'aimait pas. C'est elle qu'on devrait mettre en prison. Quant à votre frère, on l'acquittera. Vous savez : papa et maman sont pour lui. Papa rechignait, mais je l'ai grondé. J'aurais voulu le voir acquitter. Vous le féliciterez pour moi. Ce doit être beau, un acquittement.

Elle babillait sans s'arrêter. Maguerite, doucement, l'interrompit :

— Voulez-vous prier avec moi, Jeanne ?

— Si vous voulez.

Les deux jeunes filles s'agenouillèrent côte à côte. Mais à peine avaient-elles commencé leurs oraisons, que l'on frappa à la porte :

— C'est le courrier, dit la bonne, en remettant quelques lettres à Mlle Roquevillard.

— Vous permettez ? demanda celle-ci à sa compagne. C'était le jour d'Hubert... Ah ! une lettre de lui... je l'attendais un peu.

D'une main frémissante, elle décacheta l'enveloppe qui venait du Soudan. Par delà la mort, le jeune officier intervenait dans le drame de famille. Il est peu d'impressions aussi poignantes que de recevoir des témoignages de ceux qui ne sont plus.

Marguerite, dont la résignation farouche ressemblait au calme jusqu'alors, laissa échapper, en lisant, un long gémissement. Jeanne, discrète, émue, n'osait la consoler. Mais d'elle-même, la jeune fille se ressaisit. Ce n'était point l'heure de pleurer, de s'abandonner. Son père ne lui avait-il pas montré la conduite à tenir ?

— Hubert, murmura-t-elle.

Elle parut chercher un instant quelle décision prendre.

— Il faut... il faut que j'aille au Palais de justice. Tout de suite.

— Pourquoi ?

— Ah ! parce qu'Hubert aussi a pensé à nous.

— Hubert ?

— Oui. Il savait qu'il allait mourir. Au commencement de sa lettre il tâche de nous tromper, de nous égayer. Et puis, et puis il écrit... Là, tenez, mon Dieu. Mes yeux ne voient plus. Là... « Si pourtant je devais rester ici, toujours, j'offrirais le sacrifice de ma vie, pour l'honneur de notre nom, pour le salut de Maurice... » Vous voyez. Il m'ordonne d'aller là-bas.

Jeanne éclata en larmes. Déjà Marguerite exaltée mettait son chapeau et son voile.

— Je suis sûre que père a besoin de cette lettre. Je ne puis pas hésiter.

C'était, dans la famille, entre les morts et les vivants une connivence mystérieuse qui les unissait à travers le temps et l'espace.

— Je vous accompagne, dit son amie, tout aussi résolue.

— Oui, venez. Avec vous, je serai plus brave.

Et les deux jeunes filles s'élancèrent au dehors, longèrent le château dont la façade morose se réchauffait au soleil d'hiver, suivirent des ruelles qui raccourcissaient la distance, et au delà du marché, atteignirent le Palais de justice en quelques minutes.

— La salle des assises, monsieur ? demanda humblement Marguerite au concierge.

— Là, madame, au rez-de-chaussée. Mais la salle est remplie. Vous ne pourrez pas entrer.

Jeanne Sassenay intervint avec assurance.

— Il faut pourtant que nous entrions. Nous avons une lettre, une pièce à remettre à l'avocat de l'accusé. Une pièce importante.

— Impossible, mesdames. On plaide. C'est trop tard. Qui êtes-vous ?

La sœur de Maurice releva son voile :

— Mlle Roquevillard.

— Ah ! bien... Suivez-moi.

Impressionné par ce nom, il les conduisit jusqu'à la porte réservée aux témoins.

— Vous n'avez qu'à ouvrir, mademoiselle. La barre des avocats est devant vous, un peu à gauche. Après, vous sortirez par là. Ou bien vous trouverez une place libre.

Et, fonctionnaire prudent et craintif, il ajouta en quittant les deux jeunes filles :

— Surtout, ne dites pas que c'est moi.

Marguerite qui était en avant posa la main sur le loquet. Elle entendait parler. Ce n'était pas la voix de son père. Derrière cette porte, le sort de Maurice, celui des Roquevillard, se jouait à cette heure. De la part d'Hubert, elle apportait la suprême réserve.

VIII

LA VOIX DES MORTS

Elles entrèrent. Il était un peu plus de deux heures et demie : Mᵉ Porterieux, venimeux et insolent, achevait de plaider. Aux tribunes et dans la salle, le public se pressait, gens du monde et gens du peuple confondus, pour happer la curée chaude que leur servait l'avocat, expert et cruel veneur, avec le cœur palpitant des Roquevillard. On remarqua la présence des deux jeunes filles qui, la porte franchie, hésitaient dans leur marche.

— Elles viennent chercher des maris, expliqua l'avoué Coulanges qui, assisté de Mᵉ Paillet, faisait au premier rang du balcon les honneurs de l'audience à quelques dames de la société et qui, pour cette raison, se croyait tenu de montrer de l'esprit.

— Ah ! par exemple, s'écria l'une de ces dames suffoquée d'indignation. Regardez plutôt cette effrontée.

Tandis que Marguerite s'approchait de son père et lui remettait la lettre d'Hubert, Jeanne, sa compagne, avec une tranquille audace, se procurait la satisfaction de narguer toute la ville en se tournant ostensiblement vers Maurice Roquevillard assis au banc d'infamie, et en lui faisant signe de la main avec le plus gracieux sourire.

Elle fut immédiatement récompensée de son courage, en voyant quelle gratitude illuminait le visage du jeune homme, un visage amaigri, resserré, et comme contracté par la volonté de demeurer impassible sous les injures et les calomnies. Cet incident rapide suscitait déjà les commentaires de toute la salle. Marguerite, penchée, ne s'en était point doutée. Elle aussi, salua son frère, mais plus discrètement, et murmura à l'oreille de son amie :

— Partons.

— Oh ! non, je reste, répliqua celle-ci, trop désireuse d'assister aux débats.

M. Roquevillard, d'un geste bref, leur indiqua des places vides au banc des témoins. Le soleil pénétrait à travers les vitres, laissant dans l'ombre les jurés qui étaient assis à contre-jour, éclairant spécialement la cour, l'avocat général, les avocats et l'accusé comme on favorise la scène d'un théâtre pendant la représentation. Ainsi Me Porterieux s'agitait en pleine lumière. Il reprenait en charge finale toute son argumentation condensée. Il répétait comme des affirmations la liste des présomptions qu'il avait accumulées, et transformait une fois de plus le silence de l'inculpé sur Mme Frasne et le paiement intégral des cent mille francs à M. Frasne, comme d'indiscutables aveux. Enfin, il réclama violemment, comme une chose due, une condamnation sévère et flétrissante pour ce jeune homme qui pratiquait l'amour utilitaire, et, nouveau Chérubin d'une époque pratique, n'avait pas craint d'emporter la caisse du mari avec l'honneur de la femme. Il s'assit, et sa péroraison, prononcée

avec tous les simulacres de l'indignation et de la
colère, provoqua ce murmure innombrable et mystérieux comme la voix des vagues qui s'égare sur
les lèvres de la foule sans révéler son origine. Sa
plaidoirie avait été comme un vol de flèches em-
poisonnées, se succédant sans relâche dans là
même direction. Et même on eût dit qu'à travers
le fils il visait le père contraint par la honte à la
restitution, et voulait atteindre toute la race effon-
drée dans la boue avec son descendant. Il s'était
acharné plus qu'il n'était nécessaire sur sa victime, en ennemi implacable prêt à piétiner les
cadavres. En vérité, le notaire avait bien choisi
son porte-parole ; il n'aurait pu désirer plus de
venin et de fiel dans une seule bouche. A diverses
reprises, M. Roquevillard, tourné vers son fils ou
vers son gendre, les avait calmés par l'égalité
d'âme dont lui-même faisait preuve dans l'orage.

— La parole est à M. l'avocat général, articula
le président des assises d'une voix morne qui signi
fiait : «A quoi bon un deuxième réquisitoire ? »

Le procureur, M. Vallerois, attiré par la curiosité,
s'était placé derrière l'avocat général, M. Barré,
qui occupait le siège du ministère public. Il se
porta en avant pour adresser quelques mots à son
collègue du parquet. Mais celui-ci parut écarter un
avis importun et se contenta de dire qu'il s'en rapportait à l'appréciation de MM. les jurés dans une
affaire introduite sur la plainte de la partie civile
et déjà jugée par contumace.

— La parole est à la défense, reprit le président
d'un ton plus éveillé, qui montrait son contentement d'éviter un discours.

Mᵉ Hamel, assis à côté de M. Roquevillard, demanda à son confrère :

— Etes-vous prêt ?

— Mais oui. Pourquoi ?

— Alors, parlez le premier. Si c'est nécessaire, je vous suppléerai.

M. Roquevillard comprit que le vieillard, encore chancelant sous une attaque dont ses vieilles traditions n'admettaient pas les procédés, réservait son effort pour le cas où la défense serait paralysée par l'émotion, inférieure ou incomplète.

— Bien, approuva-t-il.

Pendant ces conciliabules, les conversations particulières recommençaient peu à peu, de-ci delà, dans le public, s'étendaient comme la poussière après le passage d'un convoi.

— Les Roquevillard, constata l'avoué Coulanges qui tenait pour M. Frasne, ne se relèveront jamais de telles blessures.

— Eh ! eh ! objecta Mᵉ Paillet, toujours de bonne humeur, attendez la réplique du père, et gare à Mᵉ Porterieux.

Un homme du peuple qui avait entendu, et qui était un habitué des audiences, commenta cette opinion pour son voisin en termes plus vifs.

— Oui, le vieux est coriace.

Et Mᵉ Paillet de rire et d'insister :

— Vous verrez s'il sait mordre et s'il a la dent dure.

— Il a l'air bien fatigué, murmura une dame compatissante.

— Vous voulez dire effondré, reprit M. Coulanges en rectifiant un menu détail de toilette.

Deux vieillards ne valent pas un jeune homme.

Et son attitude fringante ajoutait : « surtout auprès des femmes, » tandis qu'il montrait, en bas, les deux avocats échangeant leurs observations non loin de Mᵉ Bastard qui, les doigts perdus dans la barbe, guettait la défense pour la voir s'écrouler.

M. Roquevillard ôta sa toque et se leva. Il regarda tour à tour, sans hâte, sa fille et son fils, et cueillit leur espoir et leur confiance. Le silence se fit immédiat, profond, tout frémissant de l'attente qui suspendait les respirations et le mouvement des cœurs. Rien qu'en se levant, cet homme aux cheveux gris, presque blancs, ce vieillard qui représentait à lui seul toute une longue suite de générations honorables et de services rendus, en plus de soixante années de probité, de talent et de courage dans la vie, protestait avec éloquence contre les injures et les diffamations qui, tout le long de la plaidoirie adverse, avaient cru renverser le prestige de sa race : n'avait-on pas insinué que le prix de la Vigie avait soldé la restitution d'un argent qui n'avait pas été entièrement dépensé par le voleur ? Cette protestation, tous les Bastard du monde ne l'eussent pas ainsi clairement imposée avant même d'avoir parlé.

L'horloge de la salle marquait trois heures. Lentement redressé, l'avocat prit toute sa taille et la tête droite apparut dans la large bande de clarté que découpaient les rayons d'un soleil trop pâle pour être incommode. Le haut front découvert, les beaux traits accentués que l'âge avait épaissis et qui gardaient néanmoins leur fierté, la

rude moustache en crocs lui composaient ce visage
de lutteur et de chef qu'on ne regardait pas sans
en recevoir une impression de force et d'ardeur
à vivre. Mais la flamme qui brillait au fond de ses
yeux, jadis si aiguë, si impérieuse, exprimait, au
lieu de la passion de vaincre, la sérénité.

— Effondré ! voyez-le, protesta la dame que
M. Coulanges courtisait.

— Pourtant, je ne le reconnais plus, observa
Mᵉ Paillet.

Marguerite et M. Hamel, attentifs et tout vibrants d'inquiétude, reconnaissaient au contraire
l'exaltation surhumaine qu'il avait rapportée de
son étrange promenade à la Vigie. Il préluda d'une
voix un peu basse, ce qui inspira cette réflexion à
M. Bastard, satisfait :

— Il n'a plus son bel organe.

Puis, brusquement, comme un rideau se dé-
chire, la voix s'éclaircit, sonna le ralliement, l'appel aux morts qui, la veille, sur les pentes glacées
de la colline envahies par le soir, avaient composé
son armée de fantômes. Ce silence vivant, oppressant, lourd de tempêtes, il le laboura comme un
vaisseau la mer.

Pour juger l'accusé, il fallait le connaître, et
pour le connaître, remonter à ses origines. Car le
destin inégal de l'homme est de naître dans tel
lieu de la terre, de telle race, et soumis à une prédestination dont la volonté doit découvrir l'efficace
et le but. « ... Vous qui appartenez à des lignées
d'honnêtes gens et qui avez fondé une famille, c'est
l'histoire d'une famille qu'avant de rendre votre
verdict vous devez entendre... »

A ces paysans de la plaine ou de la montagne qui composaient le jury et qui, par nature et par réflexion, ne pouvaient être insensibles à ce récit d'humanité réelle dont la vérité et l'exemple frapperaient leur esprit, il dit la longue suite des Roquevillard, le premier ancêtre posant la première pierre de la vieille maison, plantant dans le sol natal les racines de son arbre de vie, les efforts successifs des générations s'ajoutant les uns aux autres, la sueur répandue sur la terre défrichée, l'obstination devant les résistances de la glèbe devant les intempéries et les injures des saisons, devant ces ruines accidentelles des récoltes qu'une grêle ou une gelée anéantit, et la sobriété qui se contente de peu, et l'épargne qui, aux dépens de la jouissance personnelle, prépare l'avenir, l'épargne qui, en même temps qu'elle est un acte de désintéressement, est un acte de foi dans sa descendance. Ainsi, le beau domaine de la Vigie, dont les vignes, les bois, les champs et les vergers produisaient des moissons, représentait le labeur l'économie et l'endurance de toute une race poussée en droite ligne comme un haut peuplier. Car la terre cultivée revêt un visage humain, et quand nous regardons nos propriétés, c'est la face des aïeux que nous considérons. Pourtant, à quoi avait abouti l'œuvre collective des Roquevillard ? Aujourd'hui leur domaine appartenait à leur adversaire qui l'avait reçu gratuitement. Pendant cinq cents ans les Roquevillard avaient-ils travaillé pour faire ce cadeau ? Non, de leur patrimoine constitué patiemment et péniblement ils soldaient le rachat du dernier d'entre eux. Qui donc se trou-

vait dépouillé et quel était le voleur ? Pour cent
mille francs disparus, M. Frasne recevait, acceptait une terre qui valait presque le double. Qui
s'était enrichi ? qui s'était ruiné ? Au nom des
morts qui payaient sa rançon, l'accusé devait être
acquitté.

Mais la famille n'était-elle qu'une grande force
matérielle exprimée visiblement par la continuité
du patrimoine, et dont la solidarité permettait de
solder les dettes des uns avec le travail des autres ?
N'était-elle pas bien autre chose encore, de moins
palpable, mais de plus sacré : une chaîne solide, de
traditions, une hérédité d'honneur, de probité, de
courage ? A quoi bon transmettre la vie, si ce n'est
pour lui fournir un cadre digne d'elle, l'appui du
passé, l'occasion d'un avenir étayé, — car transmettre la vie, c'est admettre l'immortalité... Et il
dit les actes publics, toute l'existence extérieure
utile, et parfois illustre des Roquevillard. Celui-ci
syndic de sa commune, était décédé à son poste
pendant une épidémie contre laquelle il organisait
la résistance. Tel autre, plus tard, dans une période
de troubles et de désordres, avait administré la
ville de Chambéry et sauvé ses finances compromises. Magistrats intègres du Sénat de Savoie,
soldats morts à l'ennemi pendant les grandes
guerres, ils avaient porté sous la toge ou l'uniforme ce même cœur audacieux et brave qui déjà
battait sous la blouse des plus anciens aïeux. Le
dernier de tous, Hubert, mourant pour la patrie,
seul, loin des siens, sur un sol brûlé et hostile,
avait exprimé le vœu formel de la race quand il
avait écrit : « J'offre le sacrifice de ma vie pour

l'honneur de notre nom, pour le salut de mon frère. » Pouvait-on rejeter cette offrande, oublier les holocaustes qui, le long des âges, signalaient la vertu sans cesse renouvelée de la famille, comme ces feux qui, le soir, purifient les champs de leurs herbes séchées ? Ainsi, il jetait dans la balance le poids des mérites acquis et la faisait pencher.

Toute l'armée des morts qui, la veille, étaient descendus de la Vigie pour franchir le val dans l'ombre et rejoindre, au plateau de Saint-Cassin leur chef debout au pied du chêne, défilait comme à la parade.

Aux mérites des morts il ajouta ceux des vivants. L'heure n'était plus de la pudeur et du respect des intimités. A l'hôpital d'Hanoï, méritait Félicie. Ses sœurs, qui avaient appelé la pauvreté pour supprimer jusqu'au soupçon de détournement, méritaient encore. Car le paiement effectué entre les mains de M. Frasne n'était, ne pouvait être pour la famille de l'accusé et pour les juges, ni une restitution ni un aveu, mais le rejet définitif de toute complicité même ignorante et involontaire.

A peine s'excusa-t-il d'énumérer avec insistance, et comme un reproche d'ingratitude, tant de services rendus. De l'autre côté de la barre on n'avait pas craint de les oublier ou, pis encore, d'en accabler l'accusé. On voulait bien remonter d'un prétendu coupable au passé pour abattre d'un coup l'importance de ce passé, on refusait injustement de couvrir l'inculpé de cette protection. Or les mérites d'une race la défendent jusqu'au jour où, la somme des démérites l'emportant, elle provoque volontairement sa propre chute. Et qui donc ose-

rait prétendre que la somme des démérites l'avait
remporté ? Oui, les morts, ses morts servaient de
caution morale au dernier des Roquevillard comme
ils venaient de lui servir de caution matérielle par
le moyen de la Vigie sacrifiée. Même coupable, ses
juges ne le condamneraient point sans injustice.

Mais comment pouvait-il être coupable ? **Par**
quel phénomène le descendant de tant d'honnêtes
gens s'était-il subitement mué en criminel ? Quelles
preuves, en définitive, fournissait-on de son crime ?
Que pesaient, en face des présomptions morales
qui découlaient de son milieu de famille comme les
eaux d'un torrent, ces misérables présomptions
qu'un hasard fait éclore et que l'interprétation des
circonstances se charge de grossir ? Les clefs de
l'étude : elles avaient passé de main en main. Le
chiffre du secret : comment l'accusé l'aurait-il
cherché, surpris, deviné, et quand le clerc Philippeaux l'avait-il inscrit sur son agenda ? Le manque
de ressources ? Il avait liquidé tous les frais, principaux et accessoires, sans exception, qu'entraînait
son voyage, soit avec l'argent qu'il avait emporté
et dont l'enquête à l'audience avait donné le dé-
compte, soit avec celui qu'il avait reçu à Orta. Les
notes d'hôtel retrouvées le démontraient. Qu'avait-
il donc fait des cent mille francs du vol, puisque
toutes ses dépenses, il les avait acquittées avec
les avances de sa famille ? Et s'il les avait placés
comme on l'avait insinué, pourquoi était-il revenu
se constituer prisonnier dès qu'il avait eu connaissance du jugement qui l'atteignait par contumace ?

Rien ne restait debout de l'accusation, rien
qu'une vengeance qui n'avait même pas su résister

à un profit. Singulière affaire où c'était le volé qui portait les dépouilles de son voleur prétendu !

Et M. Roquevillard termina en quelques mots sa plaidoirie :

« J'ai fini, messieurs les jurés. Au nom de tous nos morts dont la suite compose notre honneur toujours vivant, au nom de la terre, lentement acquise et cultivée par l'effort successif des générations, et abandonnée aujourd'hui par un libre sacrifice pour consolider cet honneur, je vous réclame mon enfant. Rendez-le-moi, non point par pitié, mais par justice, non par faveur, mais à l'unanimité. Toute sa race et moi-même nous répondons de son innocence... »

Il s'assit. Il n'avait parlé qu'une heure. Après que sa voix calme, sonore mais toujours contenue, eut cessé de se répandre et de monter comme un hymne grave, le silence se prolongera quelques instants, un silence d'église, religieux, solennel. Au lieu de l'explosion de colère et d'amertume qu'on s'était cru en droit d'attendre du vieil avocat réputé pour son énergie, en réponse aux violences haineuses de M. Porterieux, au lieu du scandale escompté des imputations renvoyées d'amant à maîtresse, le public avait entendu cette défense hautaine, dédaigneuse de l'invective, confiante dans l'autorité de sa force morale, admirablement émouvante dans ses lignes simples et droites comme ces statues immobiles et sereines qui purifient les désirs et ploient les âmes. Et le nom de Mme Frasne n'avait pas été prononcé.

Tout à coup, un cri retentit :

— Vivent les Roquevillard !

C'était la Fauchois qui jetait son cœur. Et la foule vaincue, dominée, conquise, éclata en applaudissements.

Pendant que le président réprimait cette manifestation qui mit en fuite M. Bastard agacé, M. Vallerois se pencha de nouveau sur M. Barré. Et celui-ci demanda la parole après que M. Hamel eut refusé de la prendre, en s'excusant d'user de son droit de réplique après avoir négligé d'user de son droit de conclure.

— J'ai entendu comme vous, dit-il en substance en s'adressant aux jurés, la plaidoirie de Me Roquevillard. Non, le coupable n'est pas ce jeune homme que vous jugerez dans quelques minutes. Le coupable n'est pas ici. Et puisque l'accusé a eu la générosité de ne pas le désigner, je ne vous le désignerai pas davantage. Mais je dénoncerai la machination trop habile de cet accusateur qui décourage la sympathie en faisant servir ses malheurs privés à l'édification de sa fortune. Hâtez-vous d'acquitter Maurice Roquevillard, de le rendre à son père qui est l'honneur de notre barreau. S'il fut répréhensible dans sa vie privée, il ne saurait être retenu plus longtemps pour abus de confiance...

Le jour baissait, livrant toute la salle au recueillement du soir. Le jury se retira pour délibérer et rapporta immédiatement un verdict d'acquittement à l'unanimité.

— Bravo ! approuva Jeanne Sassenay à haute voix.

— Père, murmura doucement Marguerite, maman serait contente.

Et le public, retourné, échangeait, en sortant, ses

commentaires. M. Latache, qui pérorait dans un groupe, agitait sa tête sentencieuse :

— C'est un camouflet pour M. Frasne. Après le blâme du ministère public, il devra résigner son étude et quitter le pays.

— Il revendra la Vigie, découvrit M. Paillet.

La dame que reconduisait l'avoué Coulanges s'en réjouit pour mieux énerver son cavalier, à quoi elle prenait du plaisir :

— Et la petite Sassenay la rachètera. Elle a une grosse dot. Vous avez remarqué les mines qu'elle adressait au jeune prévenu, au triomphateur ? Elle l'épousera.

— Oui, c'est cela, résuma d'un mot M. Coulanges assombri : ces Roquevillard ont toujours eu de la chance.

IX

LA FORCE DE VIVRE

La bonne volonté du président des assises hâtait les formalités de la libération. Tandis que la foule, ayant évacué la salle, se massait devant le Palais de justice, sur la place, pour guetter la sortie de l'accusé et de son défenseur afin de les acclamer avec d'autant plus d'enthousiasme qu'elle éprouvait à leur endroit de tardifs remords, M. Roquevillard attendait son fils dans la cour intérieure. Il était seul, car il avait prié Charles Marcellaz de reconduire M. Hamel. La lutte finie, il sentait la fatigue et l'usure, et il s'absorbait dans ses méditations. Une voix timide l'appela :

— Père.

— C'est toi ?

Au lieu de se jeter dans les bras l'un de l'autre, simplement, ils demeuraient immobiles, comme figés. Un premier geste manqué suffit quelquefois à créer des séparations, des obstacles. Le père lisait sur le visage du fils l'admiration, la reconnaissance, la piété filiale ; le fils lisait sur le visage du père l'amour, la bonté, et aussi les poignants stigmates de la lassitude et de l'âge. Et ils se taisaient douloureusement, invinciblement.

Au dehors, des vivats retentirent.

— Viens ! dit brusquement M. Roquevillard.

Et il entraîna Maurice vers la porte qui, de l'autre côté de la cour, donnait sur un jardin public, heureusement désert. D'un pas rapide ils le traversèrent, franchirent la passerelle de fer jetée sur la Leysse qui roulait des eaux bourbeuses, et gagnèrent le cimetière sans avoir échangé une parole.

Le cimetière de Chambéry, à l'est de la ville, à l'entrée de la vaste plaine qui s'étend jusqu'au lac du Bourget, est dominé par la colline rocheuse de Lémenc, et, au delà, par le Nivolet aux étages réguliers. L'ombre s'était installée dans le champ sacré. Elle gagnait peu à peu les coteaux. Mais les feux du couchant embrasaient la montagne dont la blancheur s'animait comme d'un afflux de sang. Les beaux soirs d'hiver, froids et calmes, nus comme des marbres, sont d'une pureté divine.

Maurice, en face de lui, distingua les minces colonettes du Calvaire où l'amour, dans son cœur, l'avait emporté. Un dernier rayon détachait leurs contours. Puis elles parurent rentrer dans le petit monument, se confondre en lui.

« Comme c'est loin ! » pensa-t-il.

Les cyprès en fer de lance, saupoudrés de givre, graves comme des sentinelles préposées à la garde de l'enclos, les laissèrent passer. Après les tombes des pauvres gens, à peine indiquées sous la neige par des levées de sol, c'était la double allée des concessions perpétuelles.

— Père, je comprends où nous allons, murmura enfin Maurice tandis qu'il pensait à sa mère.

— Nous allons au caveau de famille, expliqua

M. Roquevillard, remercier les morts qui t'ont sauvé.

— Père, c'est vous qui m'avez sauvé.

— Je parlais en leur nom.

Comme ils touchaient au terme de leur pèlerinage à travers le cimetière vide, ils distinguèrent une forme noire agenouillée sur la pierre funéraire qui précédait un mur chargé d'inscriptions.

— Père, c'est là. Il y a quelqu'un.

— Marguerite. Elle nous a devancés.

La jeune fille perçut le bruit sourd de la neige foulée et retourna la tête. Elle rougit en les reconnaissant, et se leva comme pour ne pas troubler leur entretien.

— Je venais chez maman, dit-elle.

— Reste, ordonna doucement son père.

Le long des pentes du Nivolet, le soir montait. Seule, la neige des gradins supérieurs résistait encore, et la lumière glissait, coulait sur elle comme une cascade d'or et de pourpre. Après un éclat d'apothéose, l'ombre victorieuse escalada la dernière marche et occupa le sommet.

Ils avaient en face d'eux le mur qui portait un nom unique, le leur, mais des prénoms et des dates en grand nombre. Un rameau de lierre vivace aux feuilles vertes le surmontait et même retombait à demi, comme une couronne de printemps.

— Ecoute, dit M. Roquevillard, dont le visage était empreint de la même sérénité qu'à l'audience. C'est la nuit et c'est le champ des morts. Pourtant, dans aucun lieu de la terre, tu n'entendras de plus fortes paroles de vie. Regarde. Avant que les ténèbres ne le recouvrent, c'est, autour de toi, l'horizon que ton cœur préfère. Et c'est, ici, ta famille qui repose.

A son tour, Maurice s'agenouilla et se souvenant de celle qui était partie sans lui dire adieu, se souvenant de celui qui, pour lui, avait fait l'offrande de sa vie, il se cacha la figure dans les mains. Mais son père lui toucha l'épaule et reprit d'une voix ferme :

— Mon enfant, je suis maintenant un vieillard. Tu vas bientôt me succéder. Il faut m'écouter en ce jour où j'ai le devoir de te parler. C'est ici l'image de ce qui dure. Le culte des morts, c'est le sens de notre destinée immortelle. Qu'est-ce que la vie d'un homme, qu'est-ce que ma vie si le passé et l'avenir ne leur donnaient leur véritable sens ? Tu l'avais oublié lorsque tu poursuivis ton destin individuel. Il n'y a pas de beau destin individuel et il n'est de grandeur que dans la servitude. On sert sa famille, sa patrie, Dieu, l'art, la science, un idéal. Honte à qui ne sert que soi-même ! Toi, tu trouvais ton appui en nous, mais aussi ta dépendance. L'honneur de l'homme est d'accepter sa subordination.

Maurice, se relevant, entrevit dans le crépuscule le Calvaire de Lémenc.

« Et l'amour ? » pensa-t-il tristement.

Son père le devina :

— Si peu de chose, mon ami, sépare quelque fois l'honnête et le malhonnête homme. L'amour supprime cette barrière. La famille la consolide. Pourtant, même à cette heure, Maurice, je ne dirai pas de mal de l'amour, si tu sais le comprendre. Il est notre soupir après tout ce qui nous dépasse.

Garde ce soupir dans ton cœur. Il t'appartient. Tu le retrouveras devant les belles actions, devant la nature, en te donnant à ta destinée sans peur et sans faiblesse. Ne l'égare pas. Ne l'égare plus. Avant d'aimer une femme, songe à ta mère, songe à tes sœurs, songe au bonheur qui t'est réservé peut-être d'avoir une fille et de l'élever. A ta naissance, comme à celle de ton frère et de tes sœurs, je me suis réjoui. De toutes mes forces je t'ai protégé. A ma mort, je te le dis, tu sentiras comme l'écroulement d'un mur, et tu te découvriras face à face avec la vie. Alors tu me comprendras mieux.

— Père, murmura Maurice qui succombait à l'émotion, pardonnez-moi, je ne serai pas indigne de vous.

— Mon enfant ! répondit simplement M. Roquevillard.

Et Marguerite, les voyant enfin dans les bras l'un de l'autre, se souvint du vœu maternel.

Au ciel qui se fonçait, dans la direction de la Vigie, une première étoile commença de jeter son feu. M. Roquevillard, qui tenait sur son cœur son fils reconquis, son dernier fils, son fils unique, la distingua comme un signe d'espérance. Et dans le cimetière obscurci où il était venu rendre à ses morts leur visite de la veille, bien qu'il se sentît lui-même menacé, le chef de famille fit un acte de foi dans la vie.

Thonon, juillet 1904. — Paris, juin 1905.

IMPRIMERIE NELSON, ÉDIMBOURG, ÉCOSSE.

PRINTED IN GREAT BRITAIN.